マクラメレースの アクセサリー

松田紗和

文化出版局

クラシックレースを学んでいたころ、「これもレース？」と思うようなものに出会いました。それがマクラメレースです。糸を結び合わせることで模様を作り出していくこの技法は、結ぶときの手ごたえが心地よく、素朴な風合いとしっかりとした仕上りに可能性を感じました。

それから、自分なりの工夫を加えながら続けてきたマクラメレース。今では、つぶつぶが楽しいしゃこ結び、織物のような風合いの巻結びなど、表情豊かな結びを組み合わせたモチーフをデザインして、主に生成りやベージュのレース糸を使って、軽やかに身につけられるアクセサリーを作っています。

もともと、自由さ、おおらかさがマクラメレースの持ち味。手になじむ太さや素材の糸を使い、結びながらやりやすい方法を工夫したり、自分の楽しみ方を見つけながら、じっくり、糸にふれる時間を過ごしてみてはいかがでしょうか。

松田紗和

CONTENTS

Samplers 基本の結び方　4
Bracelet　5

Samplers しゃこ結び　6
Bracelet　7
Donuts Brooch　7
Round Brooch　7
Triangular Pierce　7

Samplers 平結び (基本の七宝結び)　8
Necklace　9

Samplers 平結び (七宝結びの応用)　10
Bracelet　11

Collar　12
Hair Accessory　14
Bracelet　16
Ring　18,19

Samplers 巻結び　20
Barretta　21
Earring, Pierce　22
Bicolor Brooch, Pin Badge, Pierce、Necklace　23
Endless Knot Necklace　24
Endless Knot Swing Brooch　24

Leaf Motif Brooch　26
Donuts Brooch　28
Square Brooch　28
Cross Brooch　28
House Motif Brooch　29
Flower Motif Brooch, Pierce, Necklace　30
Chain Necklace, Bracelet　32

How to Make　33-95

Samplers 基本の結び方 ►p.47~50

A 平結び

B ねじり結び

C 巻結び

D 巻結び

E 巻結び

Bracelet — p.54
平結び＋ねじり結び＋巻結び＋左右結び

Samplers しゃこ結び p.47

A〜D しゃこ結び、E しゃこ結び＋平結び

Bracelet しゃこ結び＋平結び ►p.55
Donuts Brooch しゃこ結び＋平結び ►p.43
Round Brooch しゃこ結び ►p.56
Triangular Pierce しゃこ結び＋巻結び ►p.56

Samplers 平結び（基本の七宝結び） ▶p.46,57

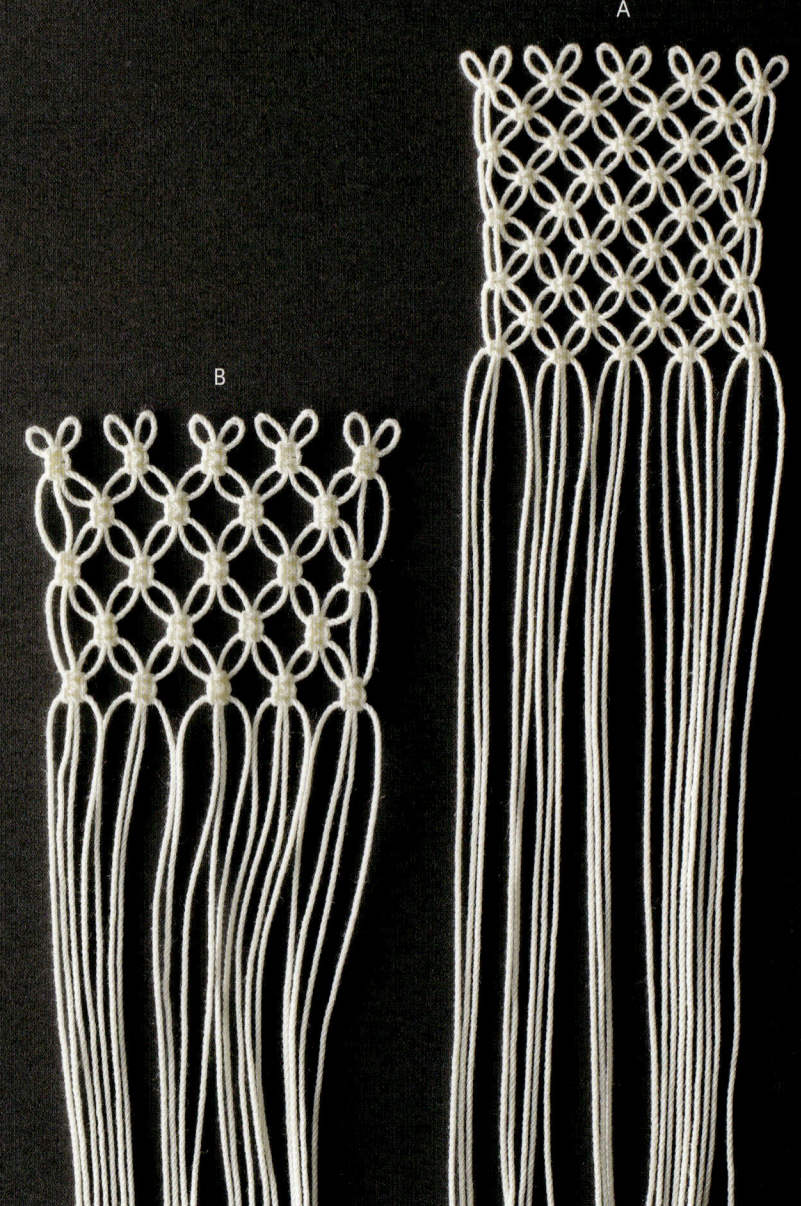

Necklace — p.57,58
平結び

Samplers 平結び（七宝結びの応用） ▶p.59

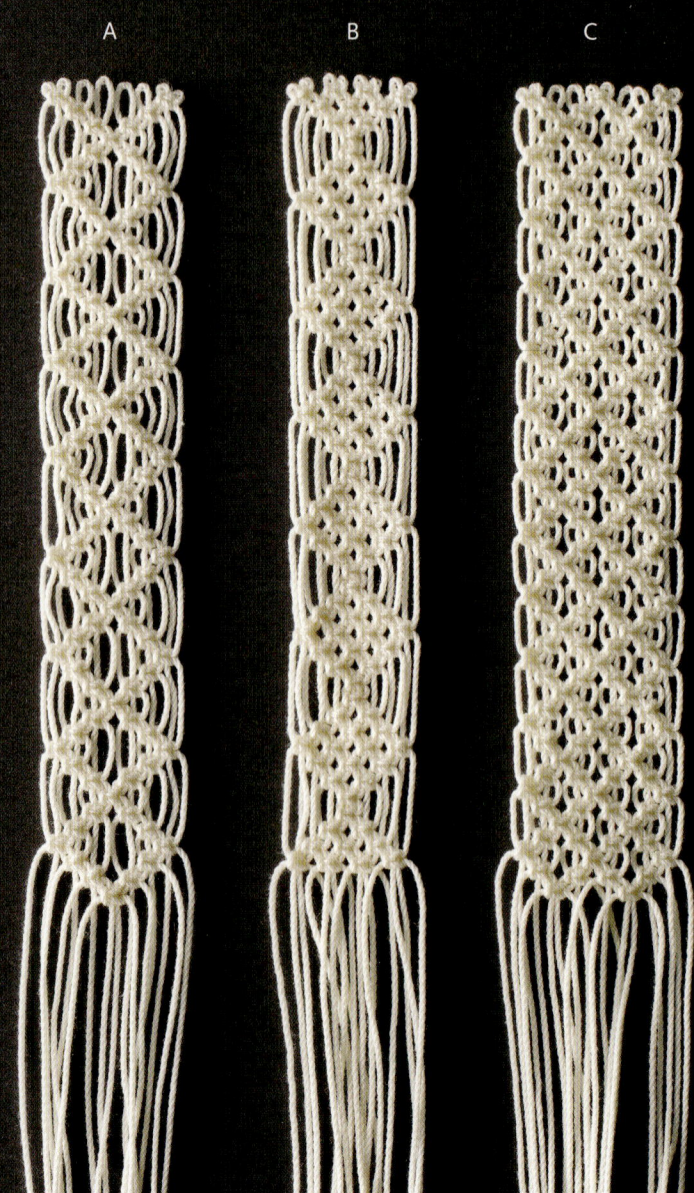

Bracelet → p.36
平結び(七宝結びの応用)＋ひと結び

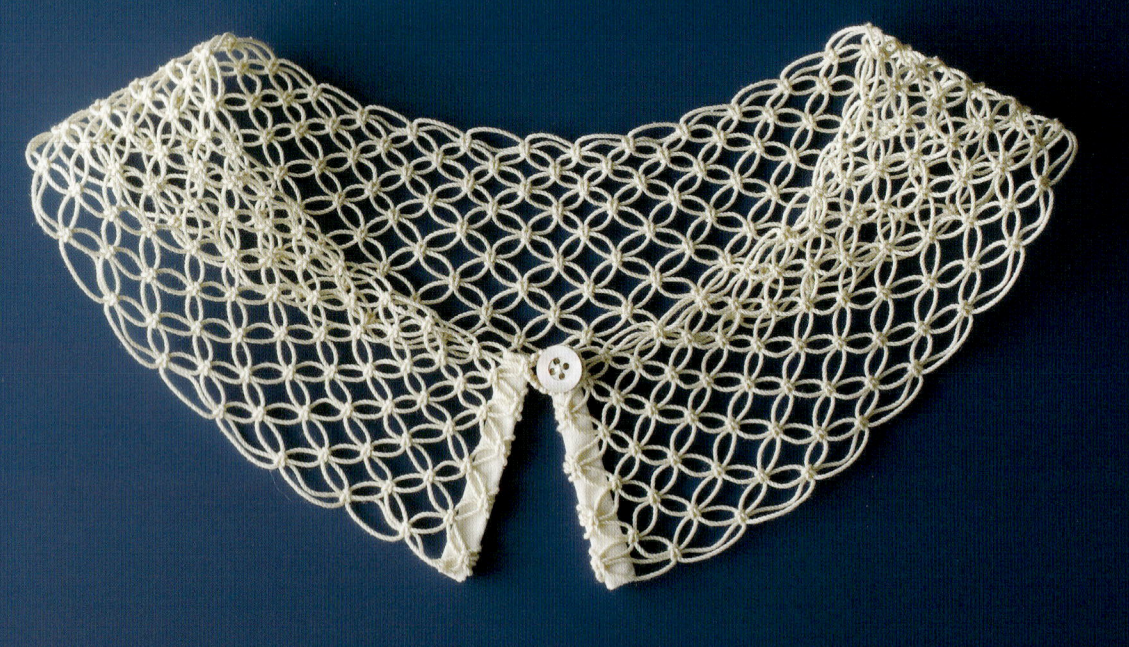

Collar → p.60
平結び(基本の七宝結び)+左右結び

Hair Accessory ▶p.62
左右結び+平結び+三つ編み+ひと結び

Bracelet ▶p.63〜65
A平結び＋ねじり結び、B平結び、C巻結び＋左右結び

Ring ►p.66
平結び、ピコット結び（写真左から4番め）

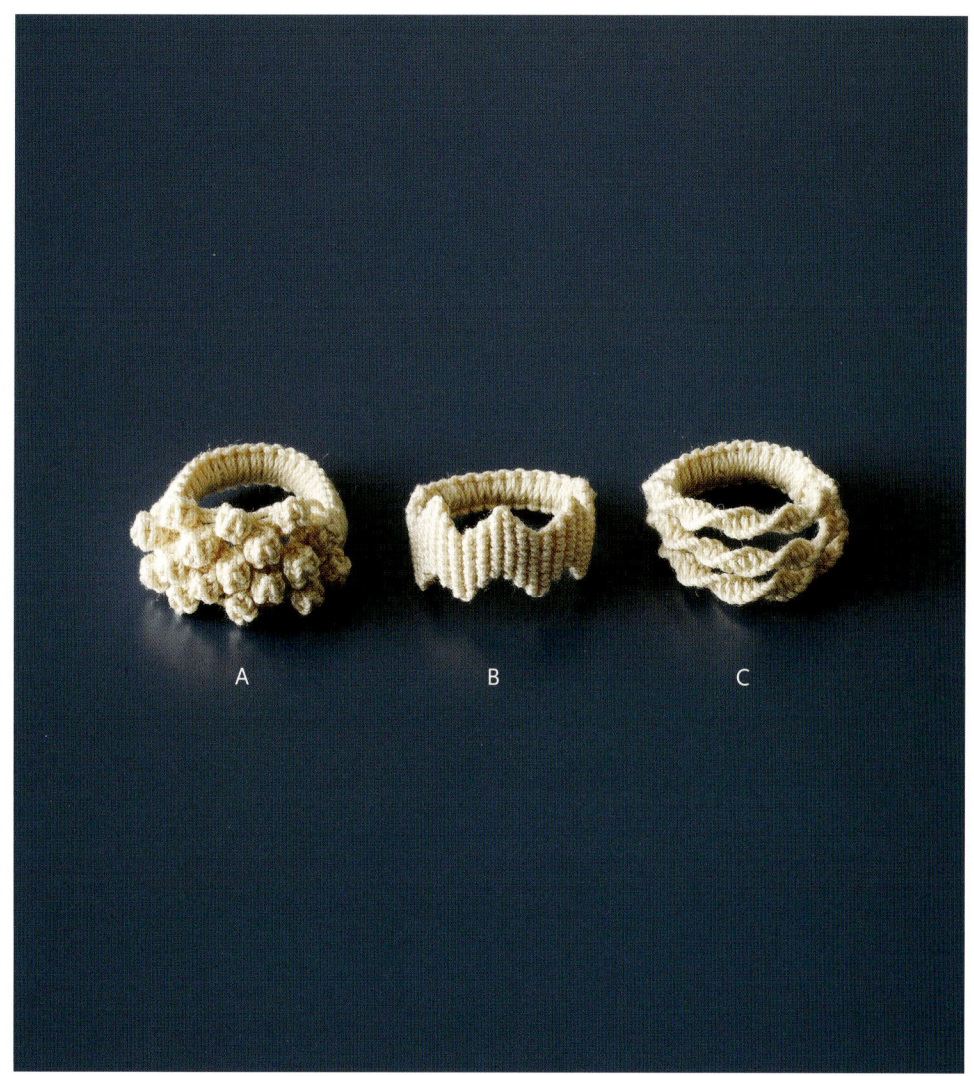

Ring ▶p.67,68
Aしゃこ結び＋平結び、B巻結び＋平結び、Cねじり結び＋平結び

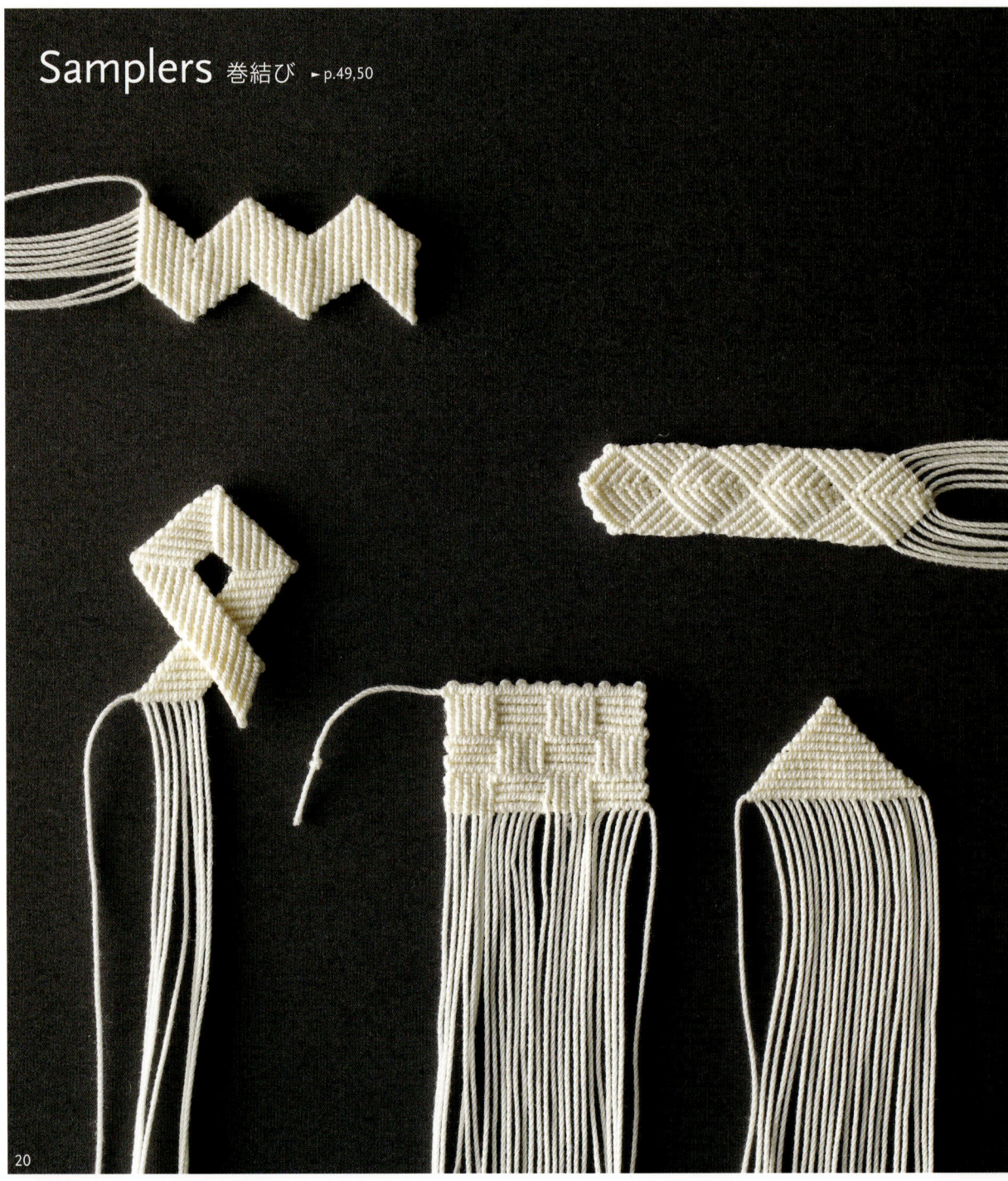

Samplers 巻結び ►p.49,50

Barretta ▸p.69
巻結び

Earring, Pierce ▶p.70〜72
巻結び

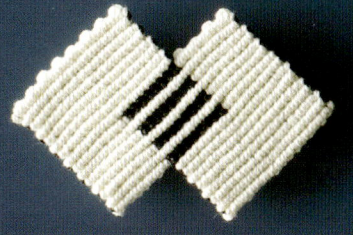

Bicolor Brooch
Pin Badge
Pierce
Necklace
巻結び ►p.73〜77

Endless Knot Necklace 巻結び ▶ P.78
Endless Knot Swing Brooch 巻結び＋ねじり結び ▶ P.80

Leaf Motif Brooch ▶p.44, 82〜84
平結び

Donuts Brooch しゃこ結び＋巻結び＋平結び ►p.86
Square Brooch しゃこ結び＋平結び ►p.85
Cross Brooch しゃこ結び＋平結び ►p.88

House Motif Brooch ▸p.39, 89
しゃこ結び＋巻結び

Flower Motif Brooch,
Pierce, Necklace ▶p.90〜94
巻結び+しゃこ結び

Chain Necklace, Bracelet — p.45,95
本結び

How to Make

Materials & Tools

A レース糸
ダルマ鴨川糸18番（横田）を使用して製作（現在、入手可能な糸はリニューアルしたDARUMA鴨川♯18）。強い撚りの糸で、しっかりとした仕上りになります。

糸

マクラメレースには基本的には丈夫で、けばだちの少ない均一の太さの糸が向いています。この本の作品は、主に生成りやベージュのナチュラルカラーの糸を使用して、シックで繊細な雰囲気に仕上げています。

B たこ糸
たこ糸10番（メルヘンアート）を使用。レース糸より太いのでボリュームがあり、素朴な味わいのある作品になります。

C ステンレスコード
ステンレスコード0.8mm（メルヘンアート）のゴールドとシルバーを使用。金属のような質感があり、はりがあって結びやすいのが特徴です。

道具、そのほかの材料

A コルクボード　ピンで糸をとめつけて制作するための専用ボード(20×30cm)。1cm間隔の方眼がプリントされているので、作業しやすい。小さめの作品には、スモールサイズのコルクボード(9×12cm)を使ってもいい。
B ピン　レース糸を使った作品にはまち針(写真右)を使用。少し太めのたこ糸などはマクラメ専用ピン(写真左)を使っても。
C かぎ針　しゃこ結びの際、糸を引き出すのに使用。糸の太さに合った使いやすいものを選んで(この本では2号、4号を使用)。
D メジャー　糸の長さをはかるときに。
E はさみ　ブローチ用のフェルトなどを切るときに使用。
F 小ばさみ　糸を切るときに使用。
G 目打ち　糸をほどいたり、仕上げで糸端や丸かんを通すときに、結び目のすきまを広げるために使用。
H ニッパー　アクセサリー用の金具をつける作業に。
I 手芸用ボンド　糸端を処理するときや、ブローチの裏のフェルトをはるときなどに使用。
J 方眼用紙　この本ではバイカラー(生成りと黒)の作品(p.23)で、文字のデザインをするときに使用。
K 合皮スエード　ブローチのベースに使用。
L フェルト　ブローチのベースに使用。

アクセサリーパーツ

A, M チェーン　B ビーズ　C とめ具(板ダルマ)　D 丸かん　E とめ具(カニかん、引き輪)　F, L ピアス金具、イアリング金具　G ピンバッジ金具(蝶タックセット)　H ブローチピン　I リボンどめ金具　J バレッタ金具　K メタルフープ

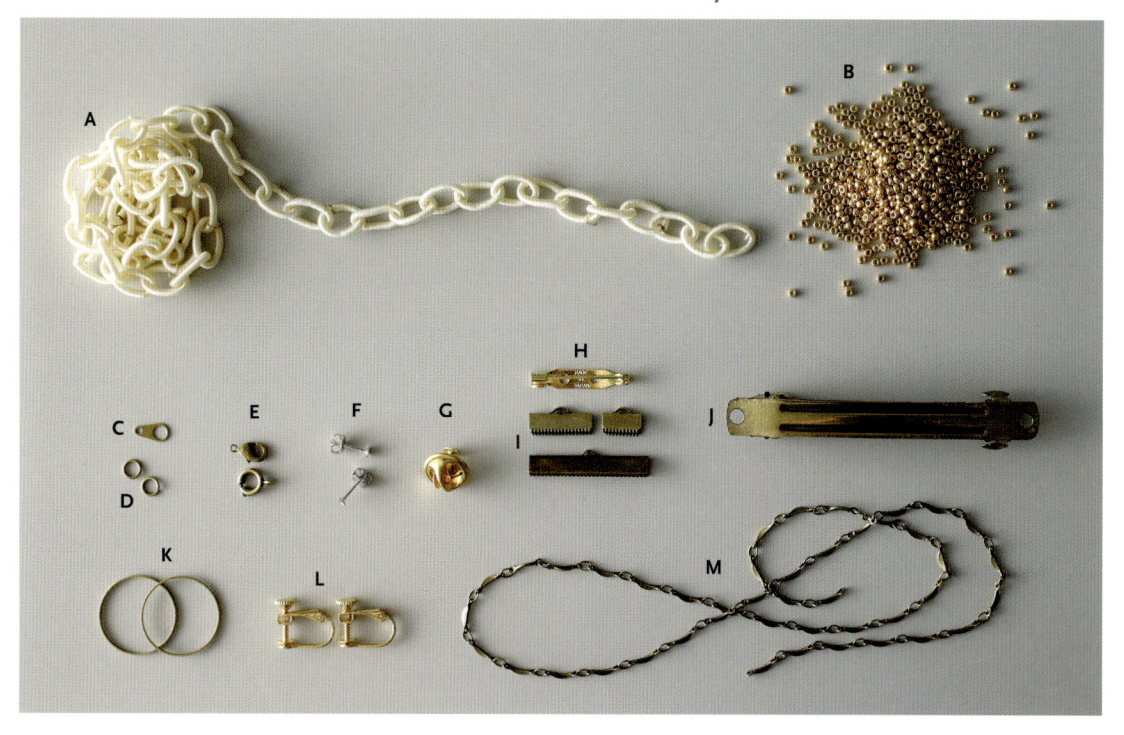

Step by Step

★平結び(七宝結びの応用)
Bracelet ―P.11

平結び(p.47)で菱形の連続模様を作ります。1段ごとに結び目の位置をずらして結ぶ七宝結び(p.48)の応用です。間隔をつめてきっちりと平結びをすることが菱形をきれいに作るポイント。結び目の間に渡る糸は前段の結びからゆるみなく、自然にぴんとのびるように注意して次の結びを作ってください。

●材料
たこ糸(小巻)10番　1m50cmを8本
カニかん(アンティークゴールド)　1個
アジャスター(アンティークゴールド)　1個
丸かん(アンティークゴールド)　直径0.5cmを2個

＊ここではわかりやすいように、実物とは違う種類の太いコードを使用して解説しています。

◆記号図

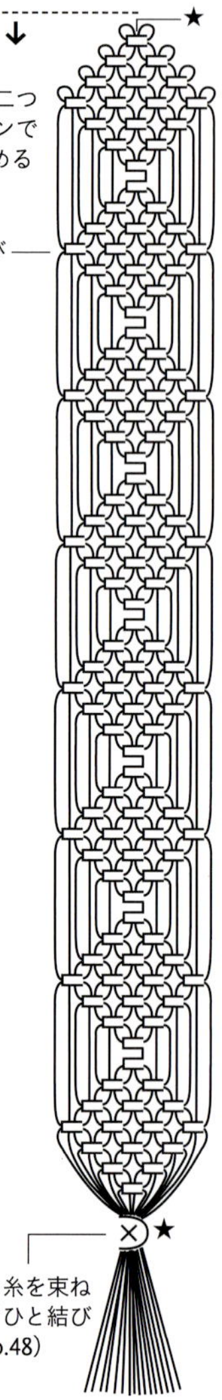

スタート

1 糸を中央で二つ折りにしてピンでとめて結び始める

2 平結びの七宝結び (p.47、48)

3 糸を束ねてひと結び (p.48)

4 8cmにカットして、糸をほぐす。アジャスターとカニかんを★の位置に丸かんでつける。

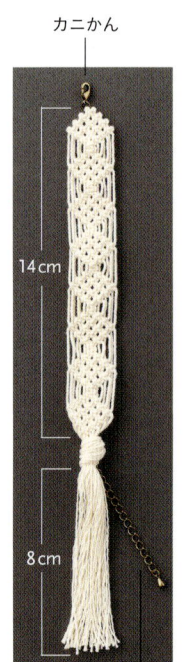

カニかん
14cm
8cm
アジャスター

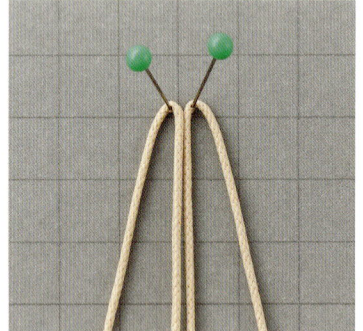

1 糸2本を中央で二つ折りにしてピンでとめる。ピンは少し外向きの角度になるように、糸の中心を刺す。

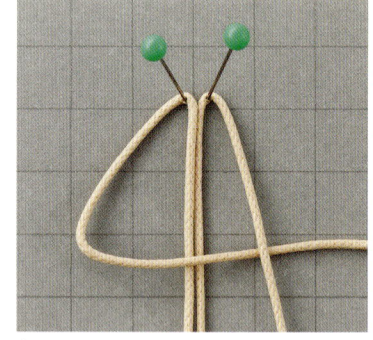

2 中央の2本の糸を芯にして平結び(p.47)を1回する。

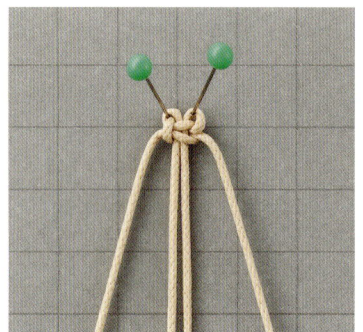

3 結んだところ。二つ折りにした部分はなるべく間をあけないように結ぶ。

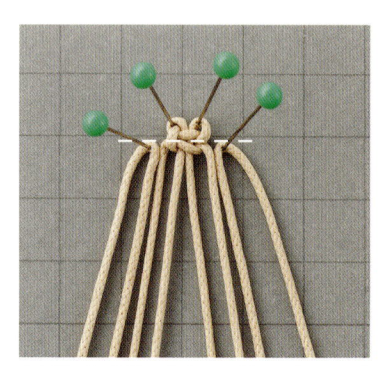

4 平結びの両脇に糸を二つ折りにして、1本ずつピンでとめる(とめる位置は、最初の平結びの下の横線に合わせる。以降同様に)。糸を左右に4本ずつ、2組みに分ける。

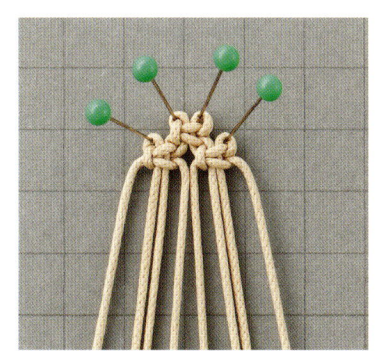

5 平結びを1回ずつする(前段の平結びの下端との間にすきまができないように。平結びが横に並ぶ場合は結びの高さがそろうよう気をつける。以降同様に)。

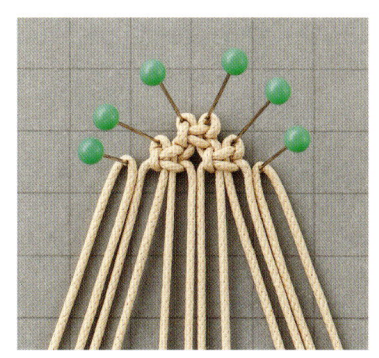

6 平結びの両脇に糸を二つ折りにして、それぞれ1本ずつピンでとめる。糸を4本ずつ、3組みに分ける。

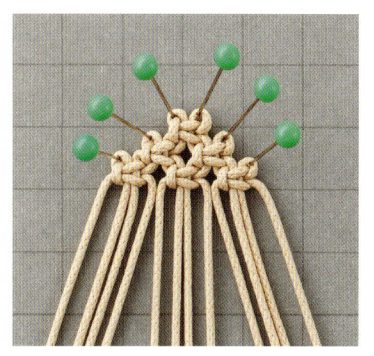

7 平結びを1回ずつする。頂点の平結びから均等な90度の山形になるように、平結びの位置を確認しながら作業していく。

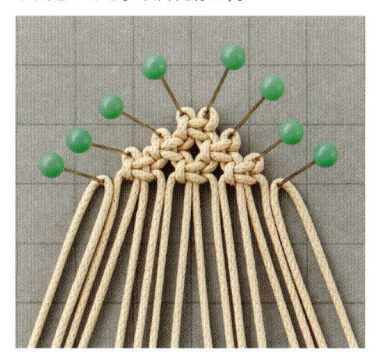

8 平結びの両脇に糸を二つ折りにして、それぞれ1本ずつピンでとめる。糸を4本ずつ、4組みに分ける。

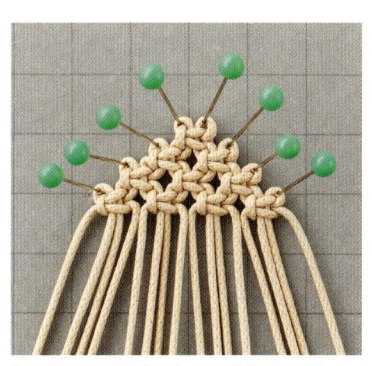

9 平結びを1回ずつする。菱形の上半分ができた。

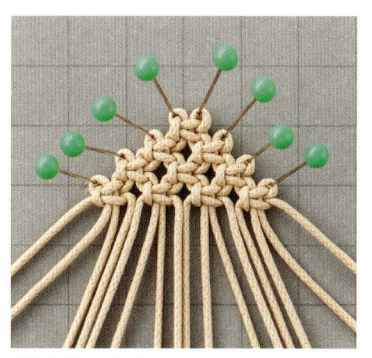

10 外側の2本ずつはそのままにしておく。内側の糸を4本ずつ、3組みに分ける。

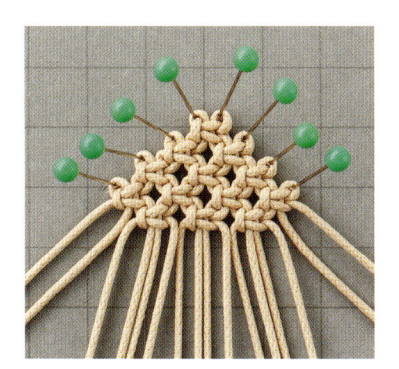

11 平結びを1回ずつする。以降、平結びの数を減らしながら、菱形の下半分を作っていく。

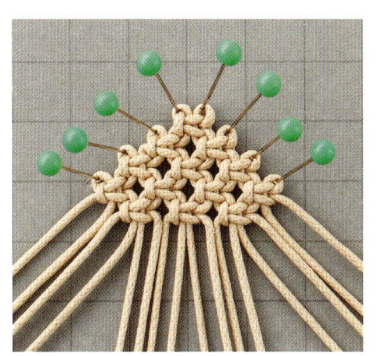

12 外側の4本ずつはそのままにしておく。内側の糸を4本ずつ、2組みに分ける。

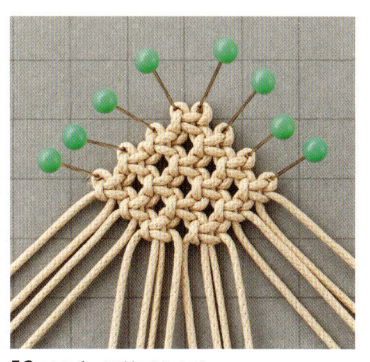

13 1回ずつ平結びをする。

37

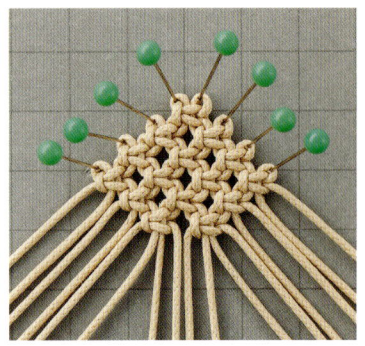

14 外側の6本ずつはそのままにしておく。内側の糸4本を、1組みにする。

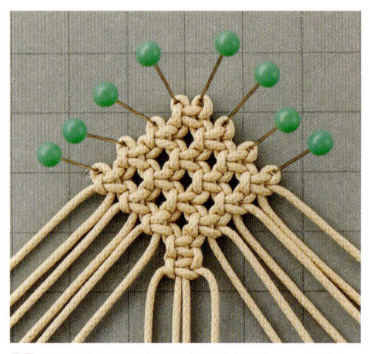

15 平結びを2回する。菱形模様が一つできた。

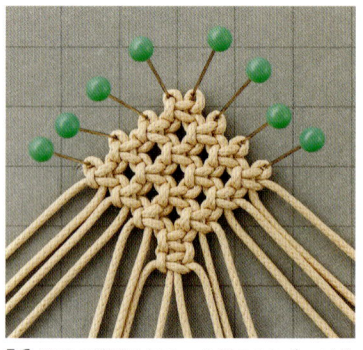

16 続けて菱形を結ぶ。外側の4本ずつはそのままにしておく。内側の糸を4本ずつ、2組みに分ける。

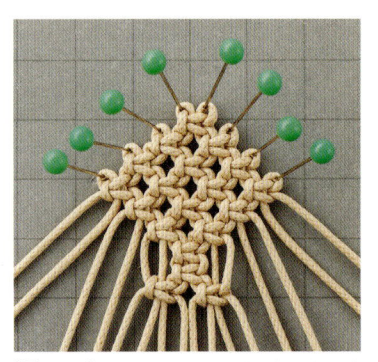

17 1回ずつ平結びをする。脇2本は糸を渡して間をあける(左右均等に。以降同様)。外側の2本ずつはそのままにしておく。内側の糸を4本ずつ、3組みに分ける。

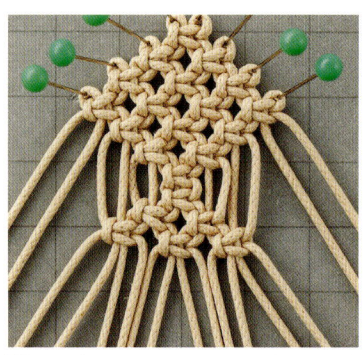

18 1回ずつ平結びをする。脇2本は糸を渡して間をあける。糸を4本ずつ、4組みに分ける。

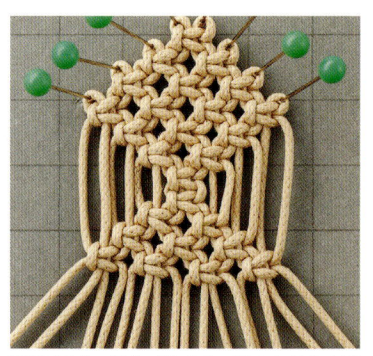

19 1回ずつ平結びをする。脇2本は糸を渡して間をあける。外側の2本ずつはそのままにしておく。内側の糸を4本ずつ、3組みに分ける。

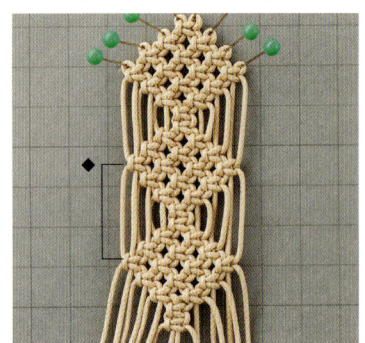

20 11～19を繰り返して結ぶ(◆)。写真は菱形を3模様作った状態。

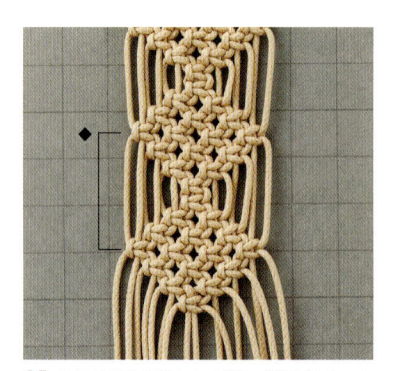

21 ◆を7回繰り返したら11～15を結ぶ。ただし最後は平結びを1回だけする。菱形が全体で8模様できる。

22 糸16本を束ねてひと結び(p.48)をし、約8cm残して切り、糸端をほぐす。丸かんでカニかんとアジャスターを★の結び目につける。すきまがきつければ目打ちで広げる。

38

★しゃこ結びと巻結び

House Motif Brooch ▶P.29

家の形のブローチは屋根をしゃこ結び
で、壁を巻結び(縦巻結び、横巻結び)
で作ります。糸をしっかり引き締めな
がら作ることがポイントです。

4cm

◆記号図　　　　　　　　　　スタート

2 しゃこ結び(p.47)

1 糸Aを中央で二つ
折りにしてピンで
とめて結び始める

3 横巻結び(p.49)
縦巻結び(p.50)を
11段結ぶ

4 糸端を始末し、フェルトとスエード、
ブローチピンをはる

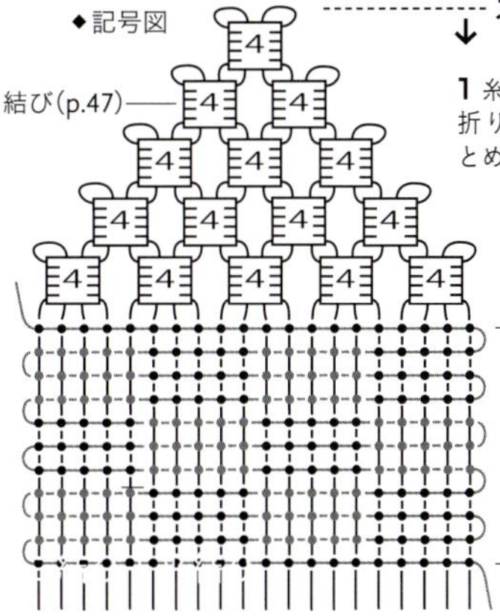

○ 材料
DARUMA鴨川#18(ベージュ・102)　糸A：80cmを10本、糸B：1m50cmを1本
フェルト(ベージュ)　6×6cm
合皮スエード(グレー)　6×6cm
ブローチピン(ゴールド)　2.5cm幅1個
＊ここではわかりやすいように、実物とは違う種類の太いコードを使用して解説しています。

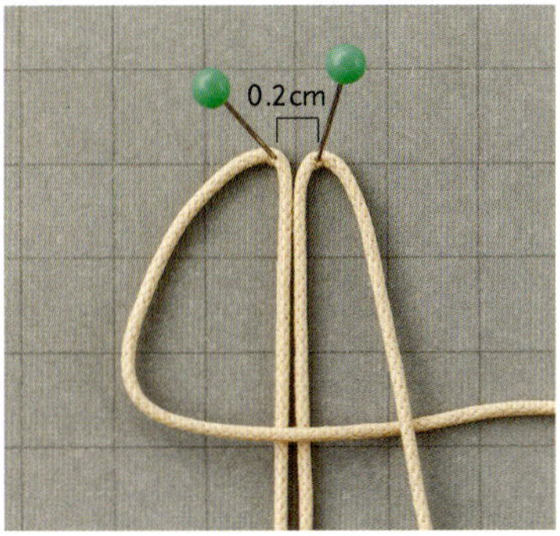

1 しゃこ結び(p.47)をする(1〜8)。まず、糸A2本を中央で二つ折りにして0.2cmあけてピンでとめる。中央の2本の糸を芯にして1回平結び。

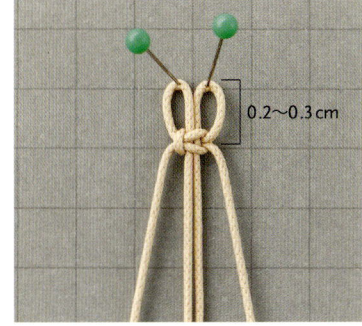

2 平結びをしたところ。二つ折りにした部分は0.2〜0.3cmあけて結ぶ。この間隔が短いとしゃこ結びをするときのかぎ針が差し込みにくくなるので注意。

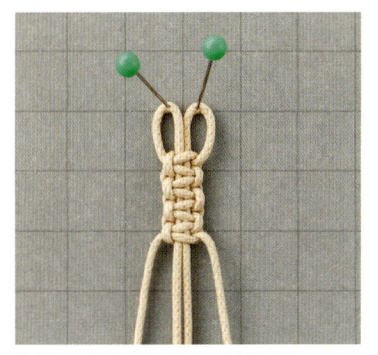

3 続けて平結びを3回する(合計4回)。

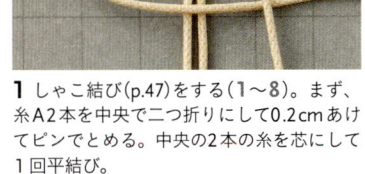

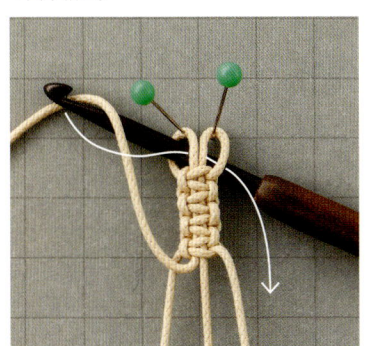

4 2の最初のループ(左)にかぎ針を右側の下から斜め横に差し込み、左側の芯糸をかけて引き抜く。芯糸を輪になるように手でつまんで引っかけるとやりやすい。

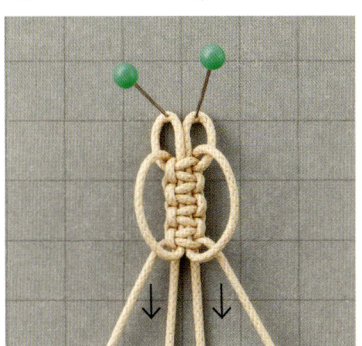

5 反対側の芯糸も同様にかぎ針で引き抜く。芯糸2本を真下に引っ張る。

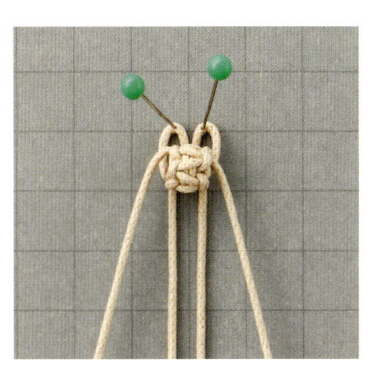

6 芯糸を引っ張ると平結び部分がくるりと丸い玉になる。

39

横から見た状態

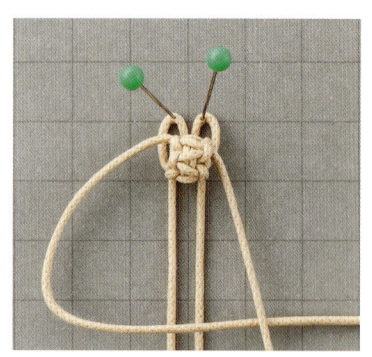

7 1回、しっかりと平結びをする。このとき、芯糸もゆるまないように、しっかり引くこと。

8 7の平結びのあと、さらに芯糸を左右にしっかり引くと玉が立ち上がり、作り始めのループもあまり目立たなくなる。しゃこ結び1回のでき上り。

7の平結びは玉の下にかくれる。

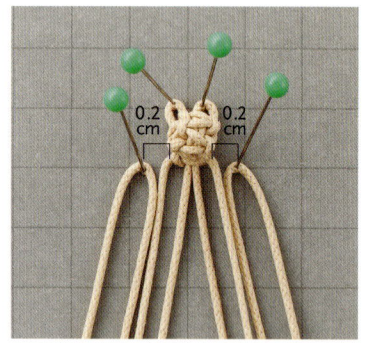

9 しゃこ結びの両脇に糸Aを二つ折りにして、それぞれ1本ずつピンでとめる（中央のしゃこ結びの下側に合わせる。以降同様）。糸を左右に4本ずつ、2組みに分ける。

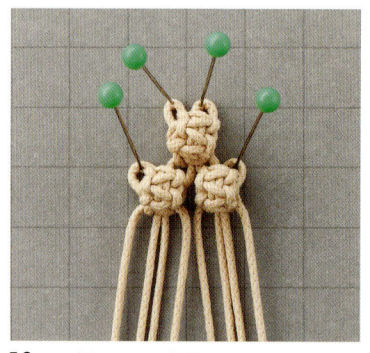

10 二つ折りにした部分を0.2～0.3cmあけて、1回ずつしゃこ結びをする（しゃこ結びが横に並ぶ場合は結びの高さがそろうよう注意する。以降も同様に）。

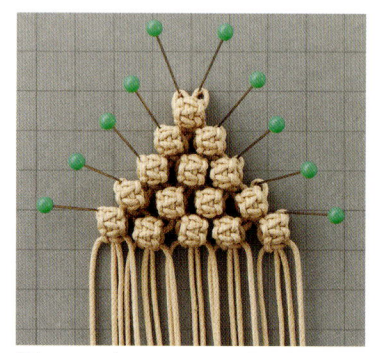

11 p.36のブレスレットの要領で糸Aを両脇に足しながら記号図のようにしゃこ結びをする。屋根部分のでき上り。

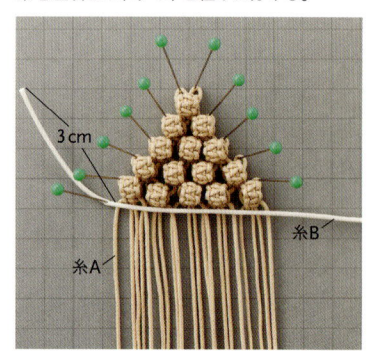

12 糸Bを糸Aの上に置き、ピンでとめる。糸Bの糸端を3cmくらい残す。

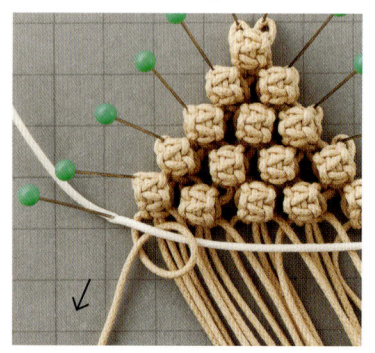

13 横巻結び(p.49)をする。糸B（白）を芯糸にし、糸A（ベージュ）を結び糸にして巻き、引き締める。

14 p.49を参照し、もう一度糸を結ぶ。これで横巻結び1目のでき上り。

15 巻結びの際、結び糸を斜め下方向、芯糸を斜め上方向にしっかりと引き締めると結び目が締まり、きれいに結べる。

16 端まで横巻結びをする（合計20目）。1段めのでき上り。

17 2段めを結ぶ。糸B（芯糸）を折り返し、横巻結びを5回する。折返しはピンでとめる。

18 縦巻結び（p.50）をする。糸A（ベージュ）を芯糸にし、糸B（白）を結び糸にして巻き、結び糸を引き締める。

19 p.50参照し、もう一度糸を結ぶ。これで縦巻結び1目のでき上り。

20 続けて縦巻結びを4回する（合計5目）。

21 続けて横巻結びを5回、縦巻結びを5回する。2段めのでき上り。

22 3段めを結ぶ。糸Bを折り返し、縦巻結びを5回する。折返し部分はピンでとめる。

23 続けて5回ずつ横巻結び、縦巻結び、横巻結びをする。3段めのでき上り。

41

24 記号図を参照し、10段めまで結ぶ。

25 11段めは端まで横巻結びをする。壁部分のでき上がり。

仕上げ方

26 糸端は裏側に折り曲げ手芸用ボンドではり、乾いたら短くカットする。

27 結びモチーフの裏側全体に手芸用ボンドをつけ、フェルトの上にはりつける。しゃこ結びの作り始めのループが目立つ場合は、内側に折り曲げてはるといい。

28 乾いたらモチーフの形の0.2cm外側をカットする。フェルトの裏側全体に手芸用ボンドをつけ、スエードの上にはりつける。

29 乾いたらフェルトと同じ形にカットする。この時、フェルトより少し小さめにカットして表からスエードが見えないようにする。

30 ブローチピンに手芸用ボンドをつけ、スエードの裏側につける。

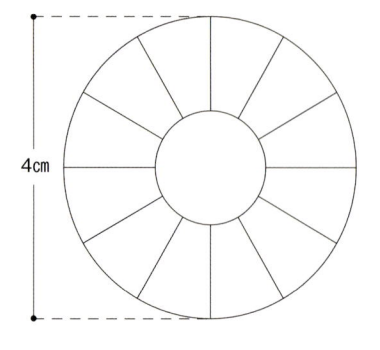

p.43の型紙（実物大）

4cm

42

★型紙を使って作る 1

Donuts Brooch → P.7

しゃこ結びと平結びを繰り返しながらドーナツ状に丸く作り進むモチーフ。ボードに型紙を置き、型紙にそって、ピンでとめながら結びます。

4.3cm

◆記号図　＊型紙はp.42参照

3 糸端を始末し、フェルトとスエード、ブローチピンをはる

→ スタート

1 糸を中央で二つ折りにしてピンでとめて結び始める

2 型紙に合わせてしゃこ結びと平結び(p.47)をする

● 材料
DARUMA鴨川 #18(ベージュ・102) 2mを6本
フェルト(ベージュ)　6×6cm
合皮スエード(グレー)　6×6cm
ブローチピン(ゴールド) 2.5cm幅1個

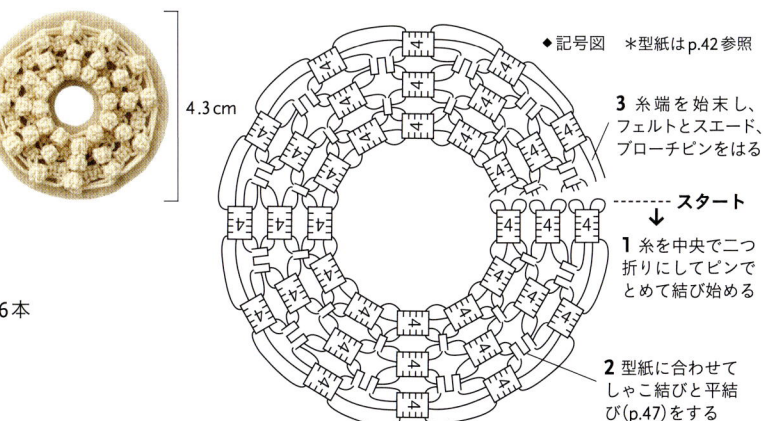

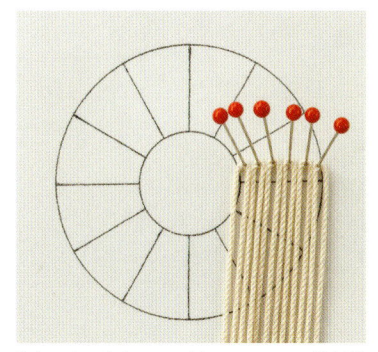

1 糸6本を中央で二つ折りにして円の放射状の線より0.2cm上をピンでとめる。

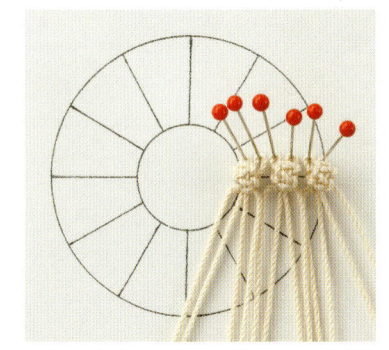

2 糸を4本ずつ、3組みに分け、円の放射状の線にそって、1目ずつしゃこ結びをする。両脇の2本ずつはそのままにし、内側の糸を4本ずつ、2組みに分ける。

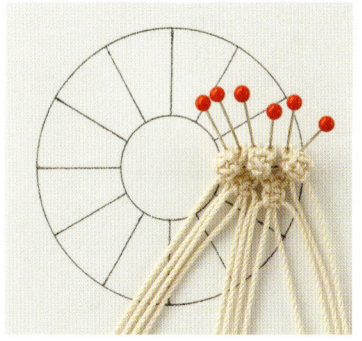

3 円の中側は平結びを1回、外側は平結びを2回する。上のしゃこ結びとの間はあけないように注意。糸を4本ずつ、3組みに分ける。

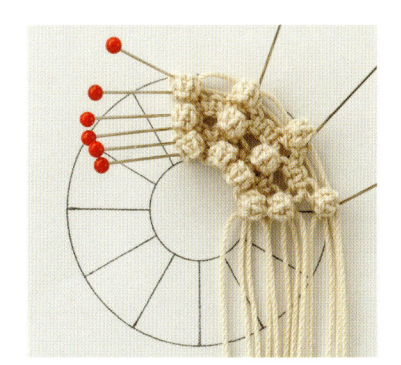

4 2、3を型紙にそって繰り返し結ぶ。円形をきれいに保つように外側(しゃこ結びの根元)にピンをとめながらぐるりと結ぶ。

5 ぐるりと1周結び終わったところ。結び始めと終わりの位置を確認する。

6 糸端は結び始めの裏側に手芸用ボンドではり、乾いたら短くカットする。フェルト、スエードを丸く切ってはり、ブローチピンをつける(p.42参照)。

★型紙を使って作る2

Leaf Motif Brooch ▶P.27

型紙に合わせて、ループを作りながら平結び(p.47)をし、葉の形に作ります。

● 材料
DARUMA 鴨川#18（生成り・101）1mを4本
木綿布（黒）　8×8cm
合皮スエード（グレー）　5×5cm
キルト綿、厚紙　各6×6cm
ブローチピン（ゴールド）　2.5cm幅1個

型紙（実物大）

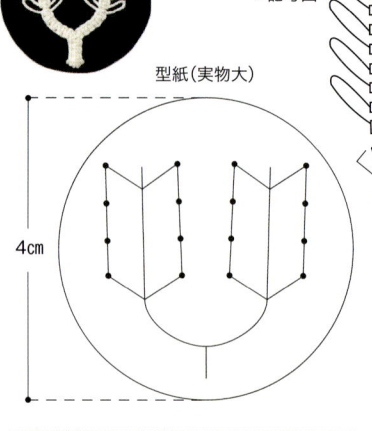

4cm

◆記号図

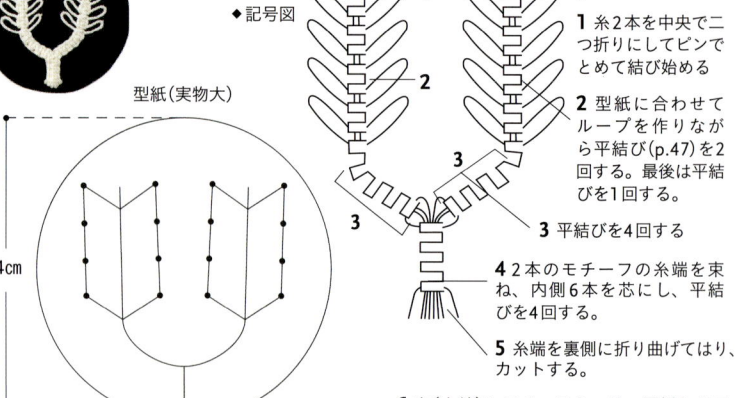

スタート　スタート

1 糸2本を中央で二つ折りにしてピンでとめて結び始める

2 型紙に合わせてループを作りながら平結び(p.47)を2回する。最後は平結びを1回する

3 平結びを4回する

4 2本のモチーフの糸端を束ね、内側6本を芯にし、平結びを4回する。

5 糸端を裏側に折り曲げてはり、カットする。

6 布（木綿）にモチーフをつけ、厚紙などで土台を作る。ブローチピンをつける(p.84)。

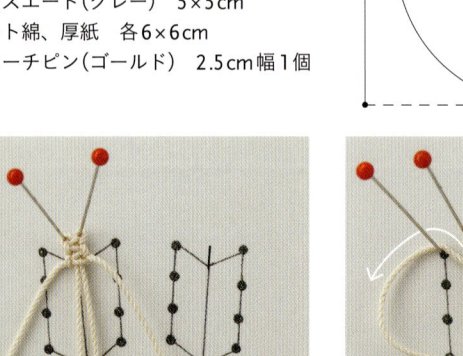

1 糸2本を中央で二つ折りにし、型紙の左の中心の線の頂点にピンでとめ、平結びを2回する。

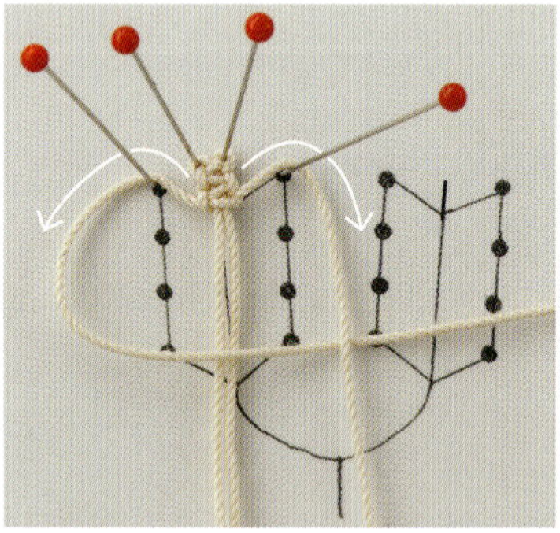

2 両脇の点にピンを打ち、結び糸をかける。

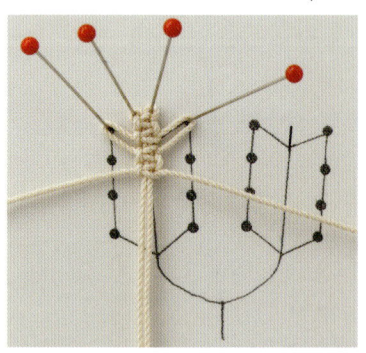

3 平結びを2回する。両脇にループができる。

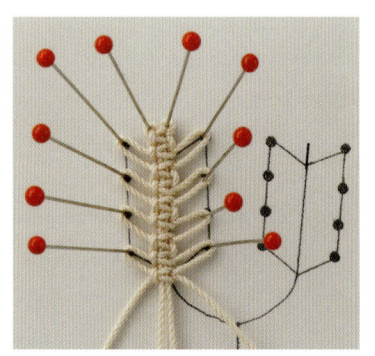

4 2、3を繰り返す。最後は平結びを1回する。

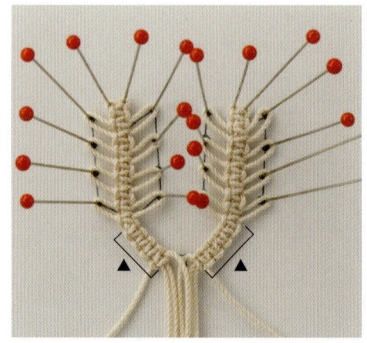

5 反対側も別糸2本で、1～4と同様に結ぶ。次に下のカーブに合わせ、それぞれ、平結びを4回する(▲)。

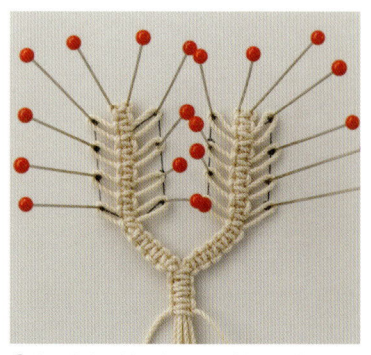

6 糸を中央の線で合わせ、内側の6本を芯糸に平結び4回。糸端は裏側に折り曲げて手芸用ボンドではり、乾いたら糸端を短くカット（ブローチの仕上げ方はp.84)。

★本結びでチェーンを作る
Chain Necklace, Bracelet ▶P.32

はりのあるステンレスコードを使い、丸棒に巻きつけて本結び（p.48）をしながら、チェーンを作っていきます。
＊材料、記号図、仕上げ方はp.95。
＊ここではわかりやすい太さと色の糸を使って、解説しています。

★2連のチェーンの作り方（Chain Necklace）

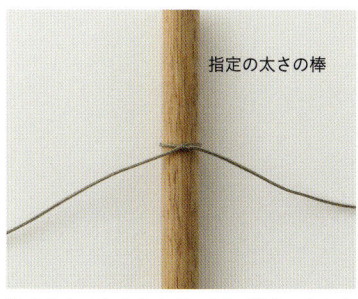

1 糸1本の中央を丸棒の下に置き、上に本結び（p.48）を1回する。

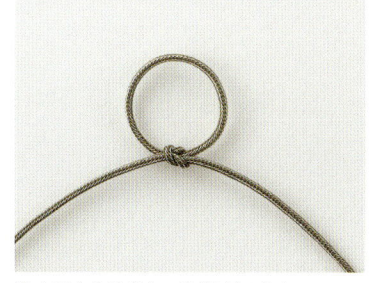

2 丸棒からはずす。輪が1個できた。

3 続けて結び目を棒の下に置き、180°の位置に本結びを1回する。

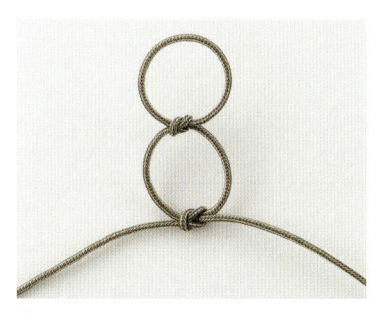

4 棒から糸をはずす。輪が2個できた。

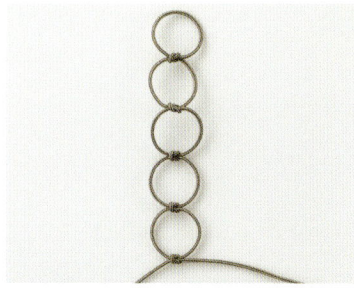

5 3、4を繰り返す。指定の回数まで結び、最後は本結びをしたら糸を0.2～0.3cm残してカットする。チェーン1本ができ上り。

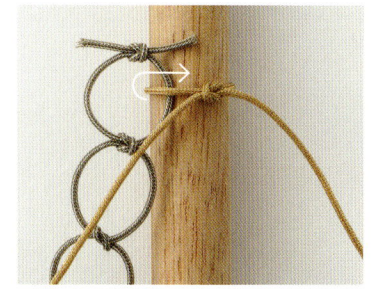

6 2連めのチェーンを作る。別糸1本を1と同様に棒を置いて本結びを1回する。この時、1本めの結び終り側のチェーンの輪に通してから結ぶ。

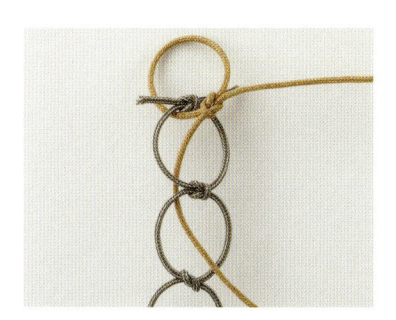

7 棒から糸をはずす。2本めのチェーンの輪が1個できた。

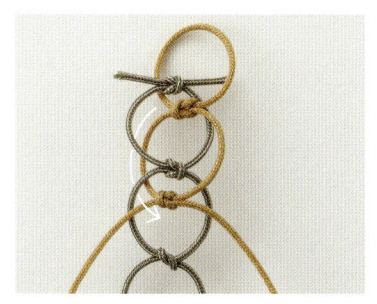

8 輪の2個め以降は1本めのチェーンの輪2個に通しながら本結びをする。

9 8をくり返す。指定の回数まで結び、最後は本結びをして糸を0.2～0.3cm残してカット。2連のチェーンのでき上り。

45

★ 横並びのチェーンの作り方 (Chain Bracelet)

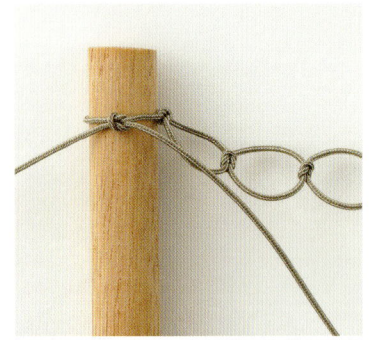

1 p.45の1〜5を参照し本結びをする。指定の回数より1回手前まで結び、糸は切らない。丸棒に糸をかけ、45°の位置に本結び。1列めのチェーンのでき上がり。

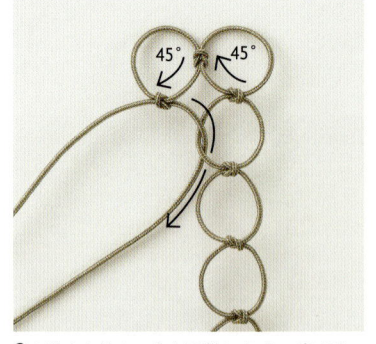

2 2列めを結ぶ。1と同様にもう一度45°の位置に本結びをし、次に1列めのチェーンの輪にコードを上から通して、丸棒に糸をかけて本結びをする。

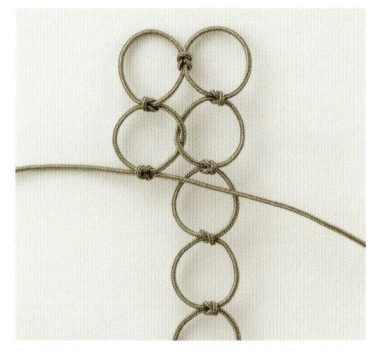

3 2列めのチェーンの2個めの輪ができた。これを繰り返す。

★ 基本の七宝結び

Samplers A ▸ P.8

ここでは、結び目の間隔が0.5cm、糸10本で作る方法。5mm方眼紙をボードにとめて作ります。このほか、結び位置を記した型紙を使って作る方法もあります。

*p.48も参照してください。

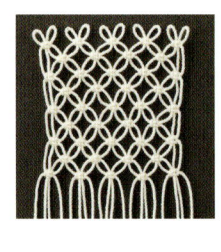

◆記号図

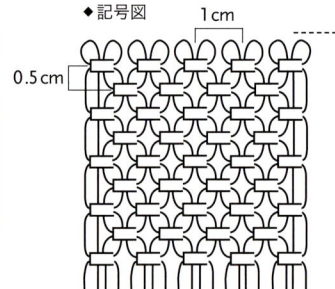

1 糸を中央で二つ折りにしてピンでとめて結び始める

2 平結びの七宝結び(p.47、48)をする

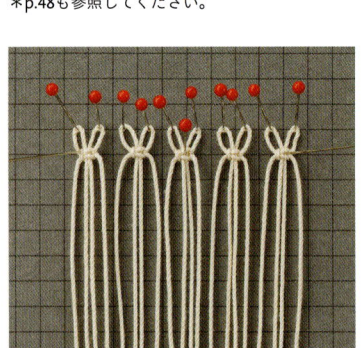

1 糸10本を中央で二つ折りにして方眼紙の縦線の間、横線上にピンでとめる。糸を4本ずつに分け、縦横線がクロスした上に1回ずつ、平結びをする。

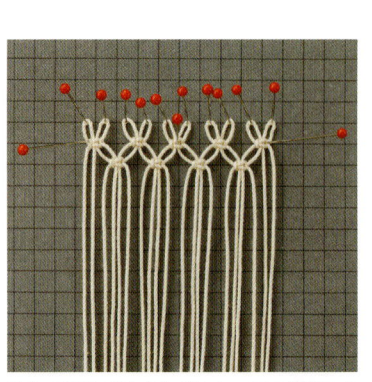

2 次の平結びは糸をずらし、下の横線から0.5cmあけて結ぶ。この時、結び位置は縦横線がクロスした上に、上の結び目は動かないように、必ずピンでとめておく。

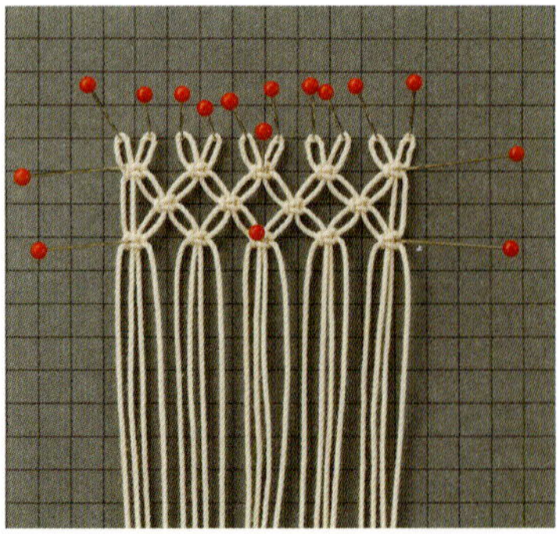

3 上の結び目をピンでとめながら結んでいくと、上下左右の間が均等にあけられ、きれいに結べる。

Basic Technique

基本の結び方

*結び名の下の記号は、それぞれの結びの種類を表します。各作品の作り方の記号図にも記載されています。

★平結び

平らな目になる最も基本的な結び方。外側の左右2本が結び糸、中心の2本が芯糸になります。

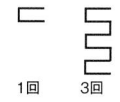

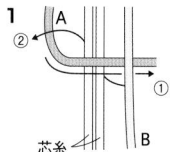

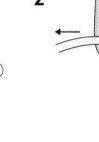

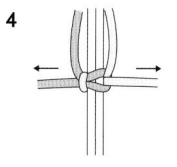

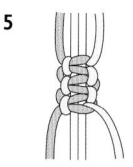

1回　3回

1 結び糸Aを芯糸2本の上に渡し、結び糸Bを上にのせる（①）。結び糸Bを芯糸2本の下にくぐらせ、結び糸Aの上から出す（②）。

2 A、Bを左右に引いて結ぶ（図）。ここまでで平結び0.5回。

3 Aを芯糸の上に渡し、Bを上にのせる（①）。Bを芯糸の下にくぐらせ、Aの上から出す（②）。

4 A、Bを左右にしっかりと引く。平結び1回のでき上り。

5 1〜4を全部で3回繰り返したところ。最後に縦にわたる糸が左にあれば平結びが完成している。右にあればまだ1、2を結んだ段階。

★ねじり結び

平結びの最初の0.5回分を繰り返して結ぶと、左から右へとねじれたひもになります。

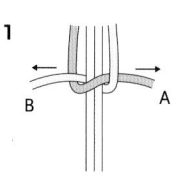

ねじり結び1回
ねじり結び5回

1 平結びの0.5回まで結ぶ（上の図の1、2と同様）これでねじり結び1回

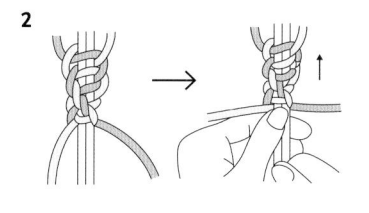

2 1を繰り返して結んでいくと、結び目が左から右へとねじれていく。こぶが半回転したら、芯糸を持って引き上げ、結び目の間隔をつめる（十分ねじれていたらこの作業はしなくていい）。そのあと、結び糸の左右を入れかえ、同様に結んでいく。
*半回転するまでの回数は糸の引き方などで違ってくるので、自然に半回転するまでの回数を覚えてそれを繰り返す。この本の作品では7、8回。

★しゃこ結び

続けて結んだ平結びを巻き上げて立体的な玉を作る方法。
かぎ針を入れるスペースはあらかじめ少しあけておくと作りやすいですが、あまり間隔をあけすぎないように。この本では平結びは4回。数が多いほど、大きい玉になります。*結び方はp.39も参照してください。

平結び4回のしゃこ結び

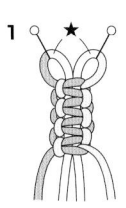

1 平結び（上の項参照）を4回結ぶ。

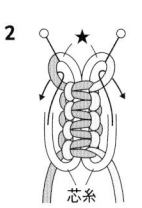

2 1の★（作り始めのループ。途中の場合は1の平結びをする前の結び糸と芯糸の間のスペース）からかぎ針で芯糸を引き出す（p.39参照）。

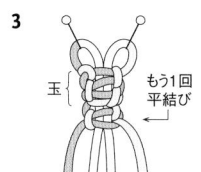

3 芯糸2本を真下に引っ張ると平結び部分がくるりと丸い玉になる。さらにもう1回しっかりと根元で平結びをして玉を固定する。

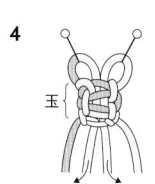

4 最後に芯糸を左右に広げて引くと玉が立ち上がる（最後の平結びは玉の下にかくれる）。しゃこ結び1目のでき上り。

47

★ピコット結び
平結びの目と目の間にループ状のピコットを作る結び方。

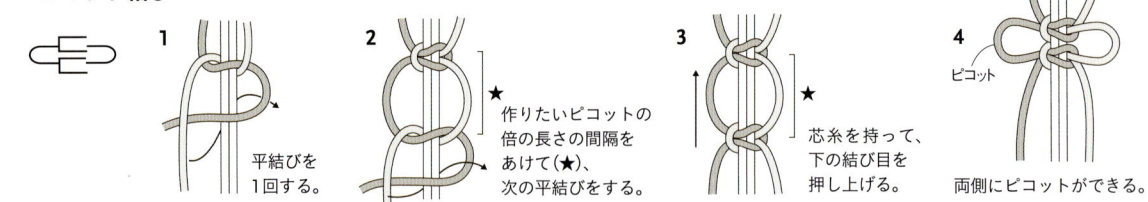

1 平結びを1回する。

2 作りたいピコットの倍の長さの間隔をあけて(★)、次の平結びをする。

3 芯糸を持って、下の結び目を押し上げる。

4 両側にピコットができる。ピコット

★七宝結び
七宝結びは1段ごとに糸をずらして平結びをし、結び目が段ごとに交互に並ぶように作る方法。下の図は最も一般的な「七宝つなぎ」模様の結び方ですが、結びの回数や、結び目と結び目の間隔を変えたり、ほかの結びを加えるなど、応用はいろいろあります。 ＊結び方はp.46も参照してください。

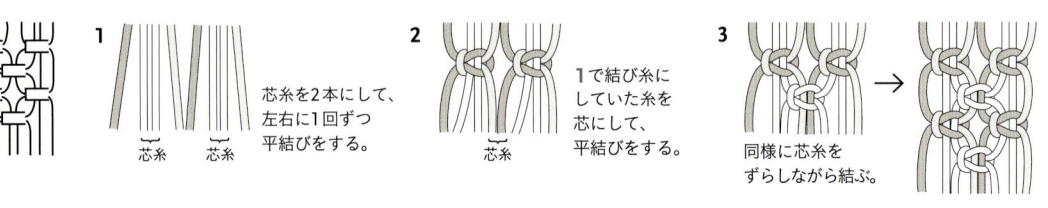

1 芯糸を2本にして、左右に1回ずつ平結びをする。芯糸 芯糸

2 1で結び糸にしていた糸を芯にして、平結びをする。芯糸

3 同様に芯糸をずらしながら結ぶ。

★左右結び
結び糸と芯糸を交互に変えながら結んでいくと、ジグザグのひもになります。

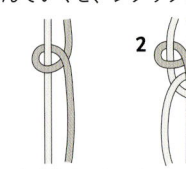

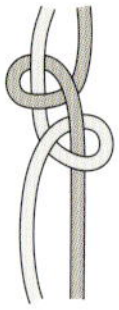

1 左の糸を芯糸にして右の糸を図のように巻く。

2 右の糸を芯糸にして、左の糸を巻く。これで左右結び1回。1回ごとに糸を引き締めながら1、2を繰り返す。

★ひと結び
1本の糸、または複数の糸をひとまとめにして結ぶ方法。

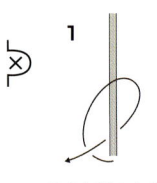

1 糸を矢印のようにまわして結ぶ。

2 下に引いて締める。

3 でき上り。複数の糸の場合もまとめて同様に結ぶ。1本　2本以上

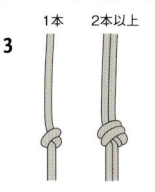

★本結び
2本の糸を、1回めと2回めで逆方向に糸をかけて結ぶ方法。シンプルでほどけにくい結び方です。

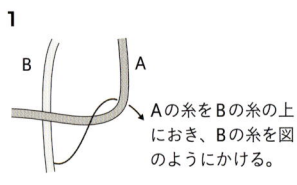

1 Aの糸をBの糸の上におき、Bの糸を図のようにかける。B A

2 A、B両方の糸を引き締める。A B

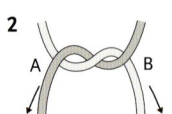

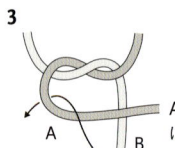

3 Aの糸をBの糸の上におき、Bの糸を図のようにかける。A B

4 本結びのでき上り。

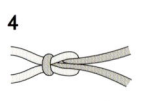

★三つ編み
3本の糸を図のように交互に間に入れながら、1本に編んでいく方法。

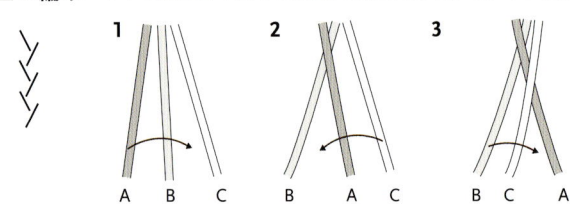

1 A B C

2 B A C

3 B C A

★巻結び

1本の芯糸に1本の結び糸を巻きつけて、主に面を仕上げるときに用いられる結び。
慣れないうちは正しく巻きついているか確認しながら作業しましょう。

記号の見方

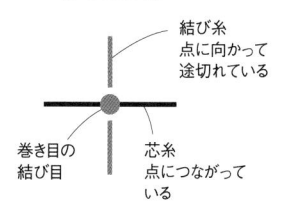

- 結び糸 点に向かって途切れている
- 巻き目の結び目
- 芯糸 点につながっている

巻結びの取りつけ方 …… 芯糸に結び糸を巻きつけて糸の本数を増やす

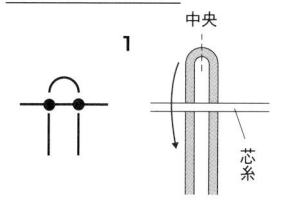

1 芯糸の後ろに二つ折りにした結び糸を置き、中央を前に倒す。

2 結び糸の両端を輪の中に引き出す。

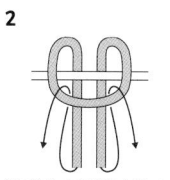

3 結び糸の端をそれぞれ手前から芯糸に掛け、矢印のように引き出す。

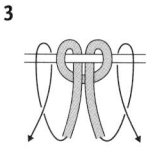

4 左右の糸を引き締める（最初の結び目とすきまができないように糸を寄せる）。

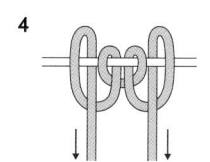

5 でき上り

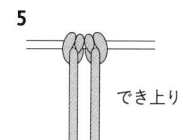

○横巻結び …… 左から右に向かって巻く場合

1 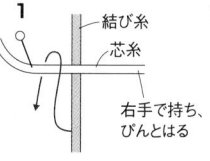 芯糸を結び糸（縦）に交差させてピンでとめ、右手で持ってぴんとはる。結び糸を左手で持ち、矢印のように芯糸に巻いて引き締める。

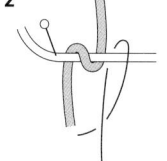

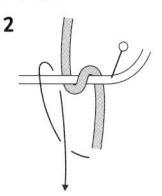

2 続けて、矢印のように結び糸を巻く。

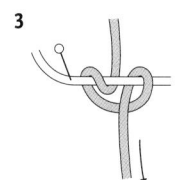

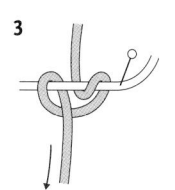

3 下側の結び糸を引き締める。

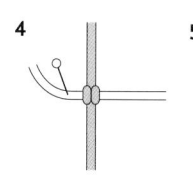

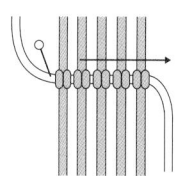

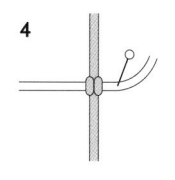

4 1目でき上り。

5 結び目を増やす場合は、結び糸を右側に足していく。

…… 右から左に向かって巻く場合

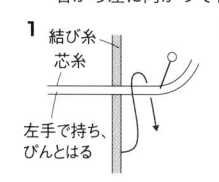

1 芯糸を結び糸（縦）に交差させてピンでとめ、左手で持ってぴんとはる。結び糸を右手で持ち、矢印のように芯糸に巻いて引き締める。

2 続けて、矢印のように結び糸を巻く。

3 下側の結び糸を引き締める。

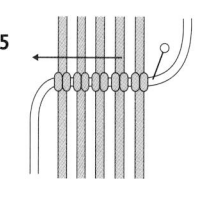

4 1目でき上り。

5 結び目を増やす場合は結び糸を左側に足していく。

段数を増やす場合

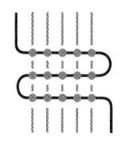

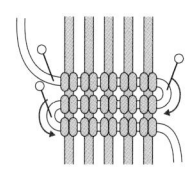

1段結び終わったら、芯糸を端で折り曲げ、次の段を結ぶ。
この時、上段の結び目と離れないように、巻結びの1回めを引き締める際に、芯糸を斜め上に引き上げて、間をつめるといい。

○縦巻結び　……左から右に向かって巻く場合

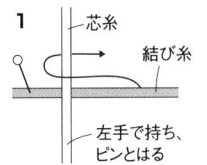

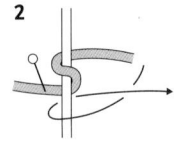

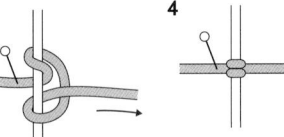

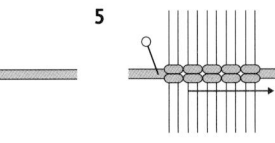

1 芯糸／結び糸／左手で持ち、ピンとはる

結び糸を芯糸（縦）に交差させてピンでとめ、芯糸の下を左手で持ってぴんとはる。結び糸を右手で持ち、矢印のように芯糸に巻いて引き締める。

2 続けて、矢印のように結び糸を巻く。

3 右側の結び糸を引き締める。

4 1目でき上り。

5 結び目を増やす場合は、芯糸を右側に足していく。

……右から左に向かって巻く場合

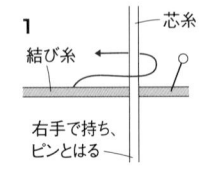

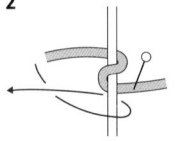

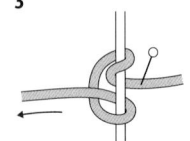

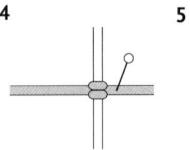

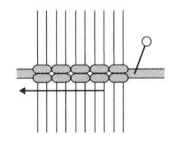

1 結び糸／芯糸／右手で持ち、ピンとはる

結び糸を芯糸（縦）に交差させてピンでとめ、芯糸の下を右手で持ってぴんとはる。結び糸を左手で持ち、矢印のように芯糸に巻いて引き締める。

2 続けて、矢印のように結び糸を巻く。

3 左側の結び糸を引き締める。

4 1目でき上り。

5 結び目を増やす場合は、芯糸を左側に足していく。

<u>段数を増やす場合</u>

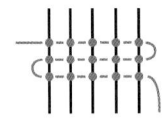

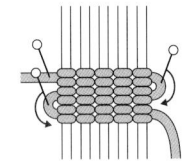

1段結び終わったら、結び糸を端で折り曲げ、次の段を結ぶ。結んだあと、前の段とすきまがある場合は、すきまをつめるように結び目を上に押し上げるといい。

○斜め巻結び

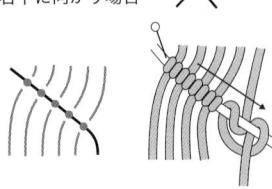

……右下に向かう場合

芯糸を左から右下に斜めにぴんとはり、横巻結びと同様に結ぶ。

……左下に向かう場合

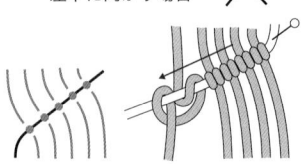

芯糸を右から左下に斜めにぴんとはり、横巻結びと同様に結ぶ。

……ジグザグに結ぶ場合

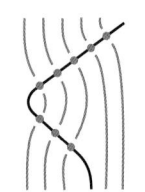

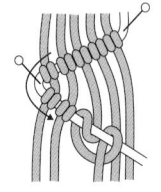

芯糸をジグザグになるように折り返しながら、横巻結びと同様に結ぶ。

……段数を斜めに増やす場合

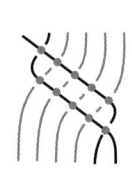

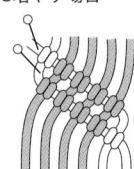

芯糸を1段ごとに変えながら、横巻結びと同様に結ぶ。

<u>カバンドリーワーク</u>

p.23の作品に使うテクニック。
2色の糸を使い、横巻結びと縦巻結びを記号図どおりに交互に結んで柄を作る。

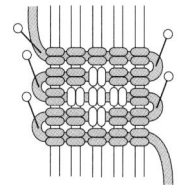

<u>横巻結びに
ビーズを通す方法</u>

p.22の作品に使うテクニック。ビーズが入る裏側がアクセサリーの表になる。

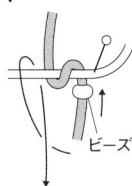

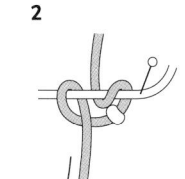

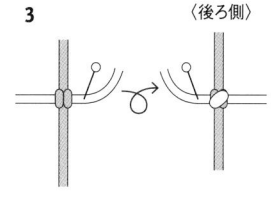

1 横巻結びを図のように巻いたら、ビーズを1個通す。続けて矢印のように巻く。

2 下の結び糸を引き締める。このとき、ビーズを芯糸の後ろ側に移動させる。

3 1目でき上がり。後ろ側にビーズがくる。〈後ろ側〉

<u>木の実モチーフの
作り方</u> ▶P.86

p.28のDonuts Broochに使う木の実モチーフ。すきまなく巻結びをして作り、四方にきっちりと平結びをすることで、ぽこんと立体的な形になる。

◆記号図(木の実1つ分)
＊全体の記号図はp.87参照。

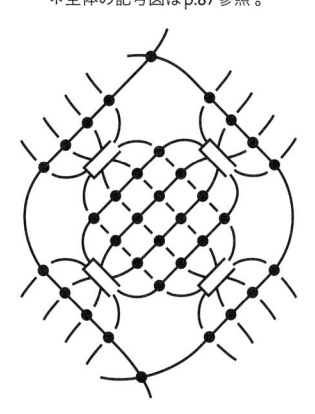

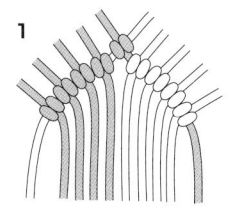

1 斜め横巻結びを図のように巻く。

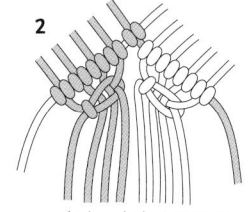

2 左上、右上それぞれ、糸4本で平結びを1回、きつく、しっかりと結ぶ。

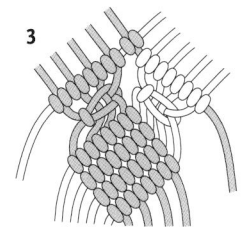

3 右の糸4本を芯糸にして斜め巻結びを巻く。

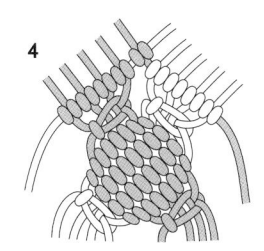

4 左下、右下、それぞれ糸4本で平結びをきつく、しっかりと結ぶと、立体的な木の実の形になる。このとき、平結びは見えなくなる(イラストではわかりやすいように平結びを見せている)。

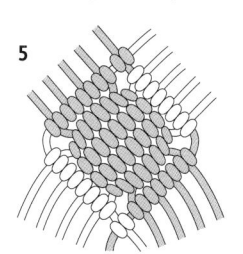

5 斜め巻結びを図のように結んで、輪郭の下半分を作る。

51

作り方のポイント

1 初心者の方へ

この本では主にレース糸（ダルマ鴨川糸18番）を使用していますが、
初心者の方は太い糸を使って結びの練習をしてから、作り始めることをおすすめします。
結びやすいマクラメ用のコードやたこ糸などで基本の結びに慣れておくと、
作品作りもスムーズです。作品もたこ糸など太い糸で作ることができます（2の項参照）。

2 糸の準備

作り始める前に、糸を作り方に記載した指定の長さと本数に切りそろえておきます。
結ぶときの糸の引き方などで必要な長さが少し変わってきますので、
指定の長さより、少し長めに余裕を持って切っておくと安心です。
できたら、結びの練習も兼ねて、作品に使用する糸を使ってきりのいい長さ分を試し結びし、
それをもとに全体に必要な長さを計算すると正確です。

[糸の長さの目安]

結びの技法ごとに必要な糸の長さの目安です。あくまでも目安なので、少し長めに用意しておけば安心です。

[結び目の種類]	[長さの目安、でき上り寸法に対して]
平結び	5～6倍
ねじり結び	5～6倍
巻結び	6～7倍
左右結び	4～5倍
しゃこ結び（平結び4回）	13～14倍

＊糸の間隔をあけて作る平結びの七宝結びの場合は、
結び目の間隔によって、必要な糸の長さが違ってきます。

[太めの糸（たこ糸）で作る場合]

レース糸（ダルマ鴨川糸18番）の作品を、たこ糸（10番）で作ると、大きさは掲載作品の約1.5倍、
それより太い20番で作ると約2倍になります。
最初に準備する糸も、それと同様の倍数だけ長めに用意してください。
ただし、ブレスレットなど、掲載作品と同じ長さに仕上げたい場合は、糸はレース糸と同じ長さを用意して作ります。
その場合、幅や模様の数など全体のバランスは違ってきます。
リボンどめなどの金具はそれに合ったサイズのものを用意してください。

[長い糸のまとめ方]

長い糸を使う作品の場合は、
それぞれの糸をあらかじめ、図のように巻いてまとめておくと、
結ぶ際にも作業しやすくなります。

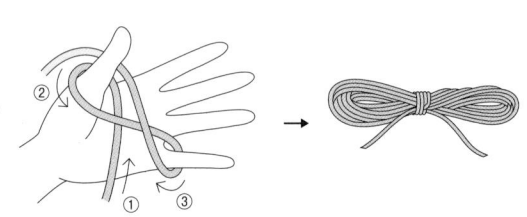

3　ピンの打ち方

作り始めはコルクボード(型紙を使用の場合はその上にのせる)に糸を2つ折りにしてマクラメピンかまち針でとめて、
作業を始めます。マクラメピンは外側向き(糸が引っ張られる方向と逆の方向に傾ける)に、
糸の中心に打つのがポイントです。
ただ、しゃこ結びのときなど、あまりしっかり固定しすぎると、かぎ針を入れにくいので、
ピンを垂直に近い角度で刺したり、場合に応じて調節してください。
作業を進めていく過程で、やりやすいようにはずしたり、打ち直してもかまいません。

4　きれいに作るこつ

■ しっかりと糸を引いて結ぶ
引く力加減は常に一定に、目の大きさをそろえて作っていきます。
結び目がゆるまないように、一回一回しっかりと糸を引いて結ぶことが、
かっちりときれいに仕上げるポイントです。

■ 結びの位置を確認する
コルクボードの方眼のライン(または型紙のライン)を目安に、
結び目の位置がきれいにそろうように確認しながら作業しましょう。
結びと結びの間に渡る糸もゆるんだり、きつすぎないように、自然に渡るように気をつけます。

5　糸端の始末

結び終わった後は糸始末をします。
ブレスレットなど糸端をそのまま、フリンジにして仕上げる場合もありますが、
ブローチなどの場合は、糸端を裏側に折り曲げて手芸用ボンドではったあとに短く切りそろえ、
フェルトやスエードをはって仕上げます。

作品の作り方ページ(p.54〜95)の記載について
＊材料の項を参照して糸を用意し、記号図を参照して結び、仕上げてください(それぞれの結び方と結び記号はp.47〜51参照)。
＊作品写真は作るときに参照しやすい大きさ、角度で載せています(実物大ではありません)。
＊でき上りサイズは幅×長さで表記しています。ブレスレットはとめ具などの金具部分をのぞいたモチーフ部分の長さを記載しています。
結び方の強さなどによってサイズは違ってきますので、表記はあくまで目安にしてください。
＊サンプラーの材料の使用量は表記していません。
＊記号図、型紙の中の数字は、表記していないものはcmです。

作品の作り方　**Bracelet** ▶P.5

4種類の結びをランダムに入れたブレスレット。
それぞれの結びの長さはお好みでも
(必要な糸の長さの目安はp.52参照)。
作っいるうちにそれぞれの結びの練習にもなります。

●でき上がりサイズ
幅0.3〜0.5cm、長さ約88cm

●材料
DARUMA 鴨川 #18（ベージュ・102）
糸A：8mを1本、糸B：5mを1本
ボタン　直径1cmを1個

◆記号図

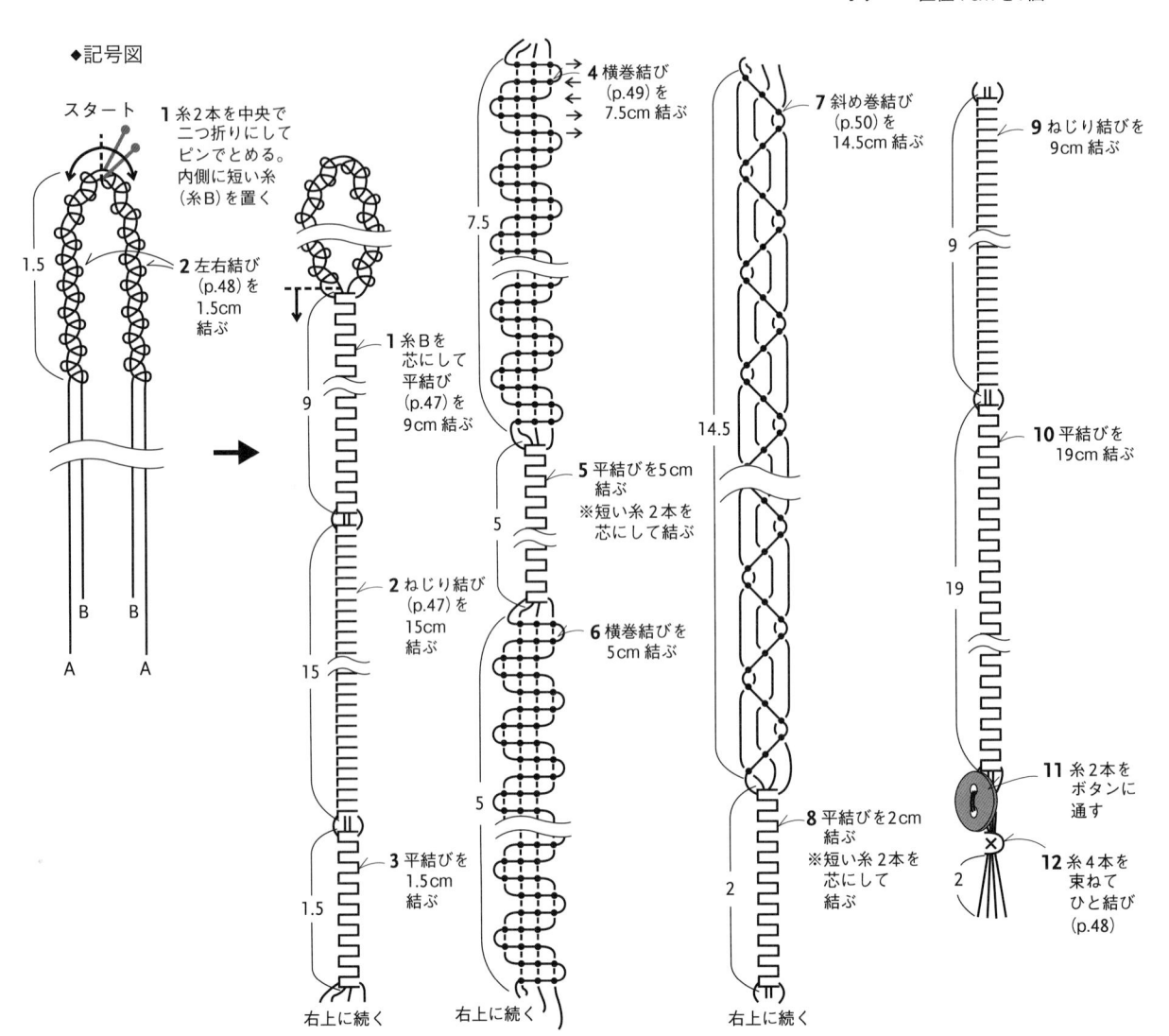

スタート

1 糸2本を中央で二つ折りにしてピンでとめる。内側に短い糸（糸B）を置く

1.5

2 左右結び(p.48)を1.5cm結ぶ

B　B
A　A

1 糸Bを芯にして平結び(p.47)を9cm結ぶ

9

2 ねじり結び(p.47)を15cm結ぶ

15

3 平結びを1.5cm結ぶ

1.5

右上に続く

4 横巻結び(p.49)を7.5cm結ぶ

7.5

5 平結びを5cm結ぶ
※短い糸2本を芯にして結ぶ

5

6 横巻結びを5cm結ぶ

5

7 斜め巻結び(p.50)を14.5cm結ぶ

14.5

8 平結びを2cm結ぶ
※短い糸2本を芯にして結ぶ

2

右上に続く

9 ねじり結びを9cm結ぶ

9

10 平結びを19cm結ぶ

19

11 糸2本をボタンに通す

2

12 糸4本を束ねてひと結び(p.48)

54

Bracelet ▸ P.7

しゃこ結びと平結びで作るブレスレット。
七宝結びのテクニックで、
結び目の位置をずらしながら作っていきます。

◉ でき上がりサイズ
幅約1cm、長さ約15cm

◉ 材料
DARUMA 鴨川 #18（ベージュ・102）
糸A：2mを2本、糸B：3mを2本
リボンどめ金具（アンティークゴールド）1cm幅2個
引き輪、ダルマかん（アンティークゴールド）各1個
丸かん（アンティークゴールド）直径0.4cmを2個

◆ 記号図

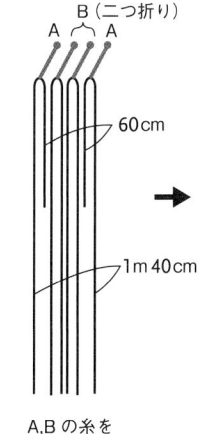

A,Bの糸を図のように折り、ピンでとめる

1 糸4本を左図のようにピンでとめて結び始める

2 平結び（p.47）を結ぶ

3 しゃこ結び（p.47.39）を14cm結ぶ

リボンどめ金具のつけ方

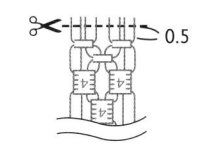

1. 糸端を裏側に折り、手芸用ボンドでとめ、0.5cm残してカットする。
（スタート部分も同様に二つ折りにした部分を裏側に折り、手芸用ボンドでとめる）

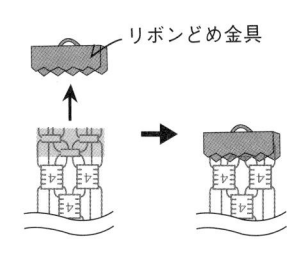

2. ▨部分をリボンどめに差し込み、ペンチではさんで締める

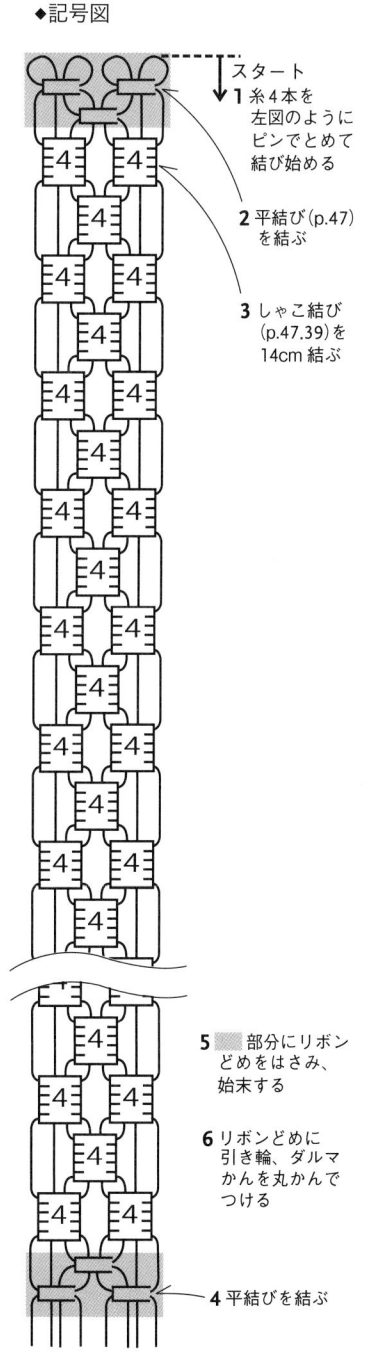

5 ▨部分にリボンどめをはさみ、始末する

6 リボンどめに引き輪、ダルマかんを丸かんでつける

4 平結びを結ぶ

55

Round Brooch ▶P.7

しゃこ結びをして六角形の面になるように作り、
円形のフェルトにはりつけたブローチ。

◎ でき上りサイズ　直径3.5cm

◎ 材料
DARUMA 鴨川#18(ベージュ・102)　80cmを12本
フェルト(ベージュ)　5×5cm
合皮スエード(グレー)　5×5cm
ブローチピン(ゴールド)　2.5cm幅を1個

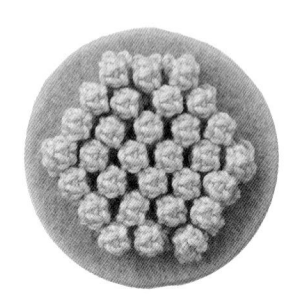

◆記号図

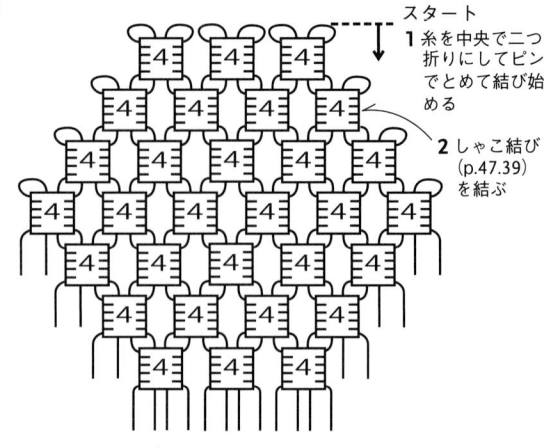

スタート
1 糸を中央で二つ折りにしてピンでとめて結び始める
2 しゃこ結び(p.47.39)を結ぶ
3 糸端を始末し、フェルトとスエードをモチーフが収まるように円形にカットしてはり、ブローチピンをはる(p.42)

Triangular Pierce ▶P.7

しゃこ結びと巻結びで三角形を作ります。
ピンバッジにしても。

◎ でき上りサイズ　約2×1.8cm

◎ 材料(1組み分)
DARUMA 鴨川#18(ベージュ・102)
糸A：60cmを16本、糸B：30cmを2本
フェルト(ベージュ)　6×4cm
合皮スエード(グレー)　6×4cm
ピアス金具(ゴールド)　1組み

◆記号図

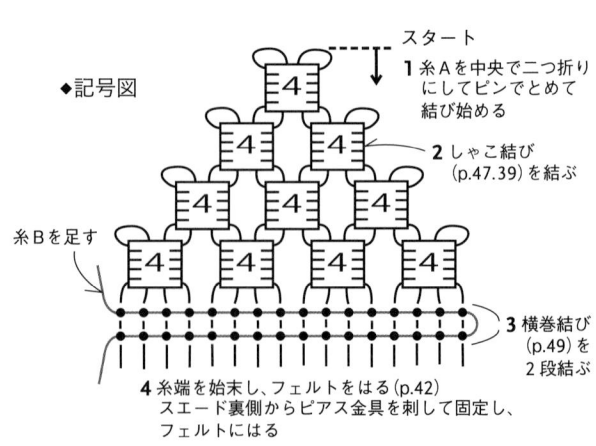

スタート
1 糸Aを中央で二つ折りにしてピンでとめて結び始める
2 しゃこ結び(p.47.39)を結ぶ
糸Bを足す
3 横巻結び(p.49)を2段結ぶ
4 糸端を始末し、フェルトをはる(p.42)スエード裏側からピアス金具を刺して固定し、フェルトにはる

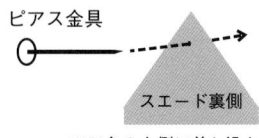

ピアス金具
スエード裏側
※三角の上側に差し込む

56

Samplers ▶P.8

基本の七宝結びのサンプラー。
平結びの回数や糸の間隔のあけ方で雰囲気が変わります。

＊A、BともDARUMA鴨川#18(生成り・101)を使用

A ▶p.46

B

◆記号図

スタート
1 糸10本を中央で二つ折りにしてピンでとめて結び始める

2 平結び2回の七宝結び(p.47.48)を結ぶ

Necklace ▶P.9

ステンレスコードを使って三角や四角のモチーフに形づくり、
リボンどめ金具ではさんでペンダントにしています。

[四角モチーフ]
◎ でき上がりサイズ
約5×5cm(モチーフ部分)

◎ 材料(1組み分)
ステンレスコード0.8mmタイプ
(Newゴールド・715)40cmを10本
金具類、チェーンは
　三角モチーフと同じ(p.58)

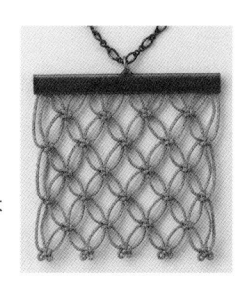

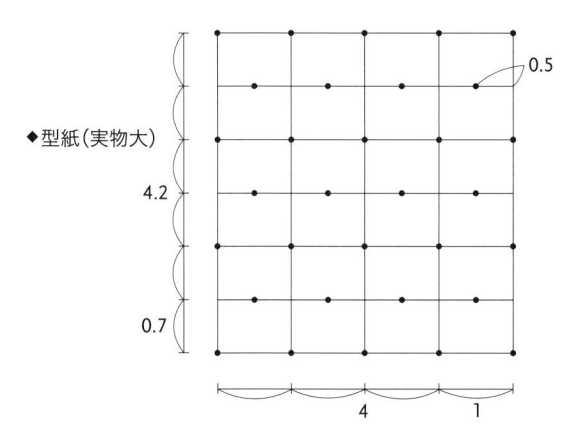

◆型紙(実物大)
0.5
4.2
0.7
4　1

◆記号図

スタート
1 糸を中央で二つ折りにしてピンでとめて結び始める

2 平結びの七宝結び(p.47.48)を結ぶ

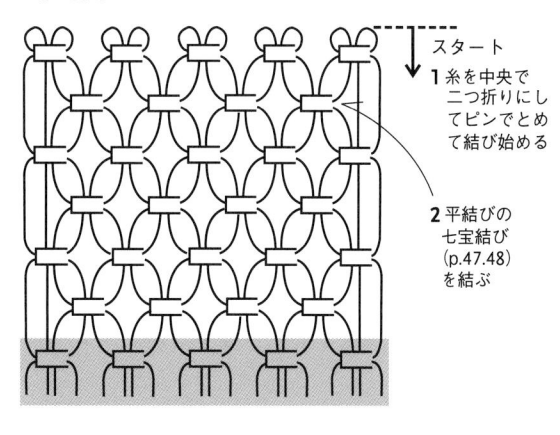

3 ▩部分にリボンどめをはさみ、始末する(p.58参照)

4 リボンどめに丸かんをつけ、チェーンを通す。チェーンの端に引き輪、ダルマかんをCかんでつける

[三角モチーフ] ▶P.9

● でき上がりサイズ
約5×5.2cm

● 材料(1組み分)
ステンレスコード0.8mmタイプ
(Newゴールド・715) 40cmを12本
リボンどめ金具(アンティークゴールド) 5cm幅1個
チェーン(アンティークゴールド) 65cm
アジャスター、カニかん(アンティークゴールド)各1個
Cかん(アンティークゴールド) 0.2×0.3cmを2個
丸かん(アンティークゴールド) 直径0.4cmを1個

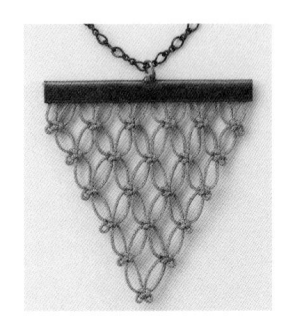

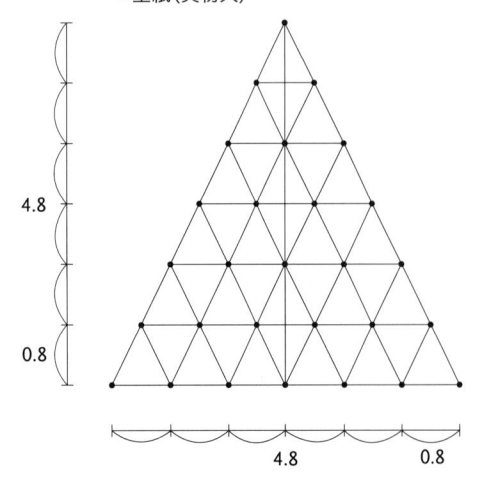

◆記号図

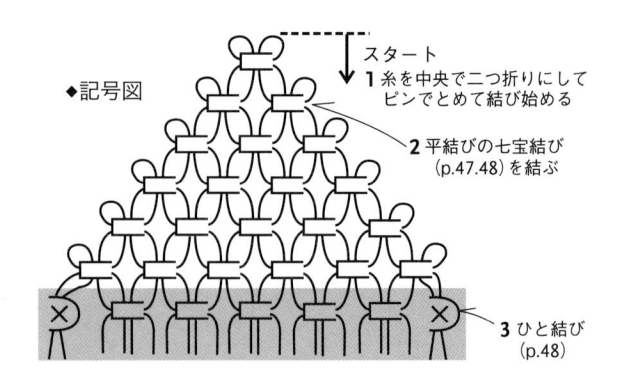

スタート
1 糸を中央で二つ折りにしてピンでとめて結び始める
2 平結びの七宝結び(p.47,48)を結ぶ
3 ひと結び(p.48)
4 ▨部分にリボンどめをはさみ、始末する
5 リボンどめに丸かんをつけ、チェーンを通す。チェーンの端に引き輪、ダルマかんをCかんでつける

◆型紙(実物大)

4.8
0.8
4.8　0.8

リボンどめ金具のつけ方

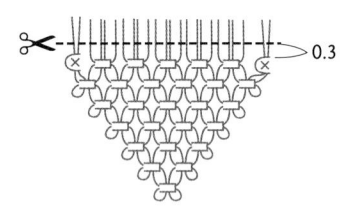

0.3

1. 最後の列の結び目に手芸用ボンドをつけ、ほどけないようにする。乾いたら糸端を0.3cm残してカットする

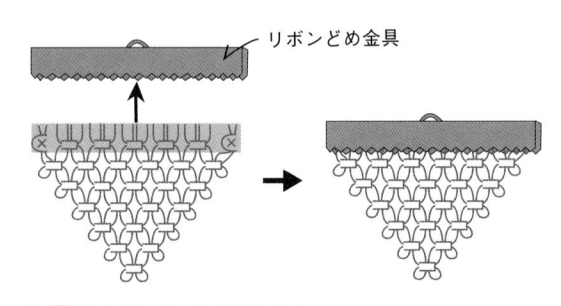

リボンどめ金具

2. ▨部分をリボンどめに差し込み、ペンチではさんで締める

Samplers ▶P.10

七宝結びの応用で作る菱形模様のサンプラー。

＊A, B, CともDARUMA鴨川 #18（生成り・101）を使用

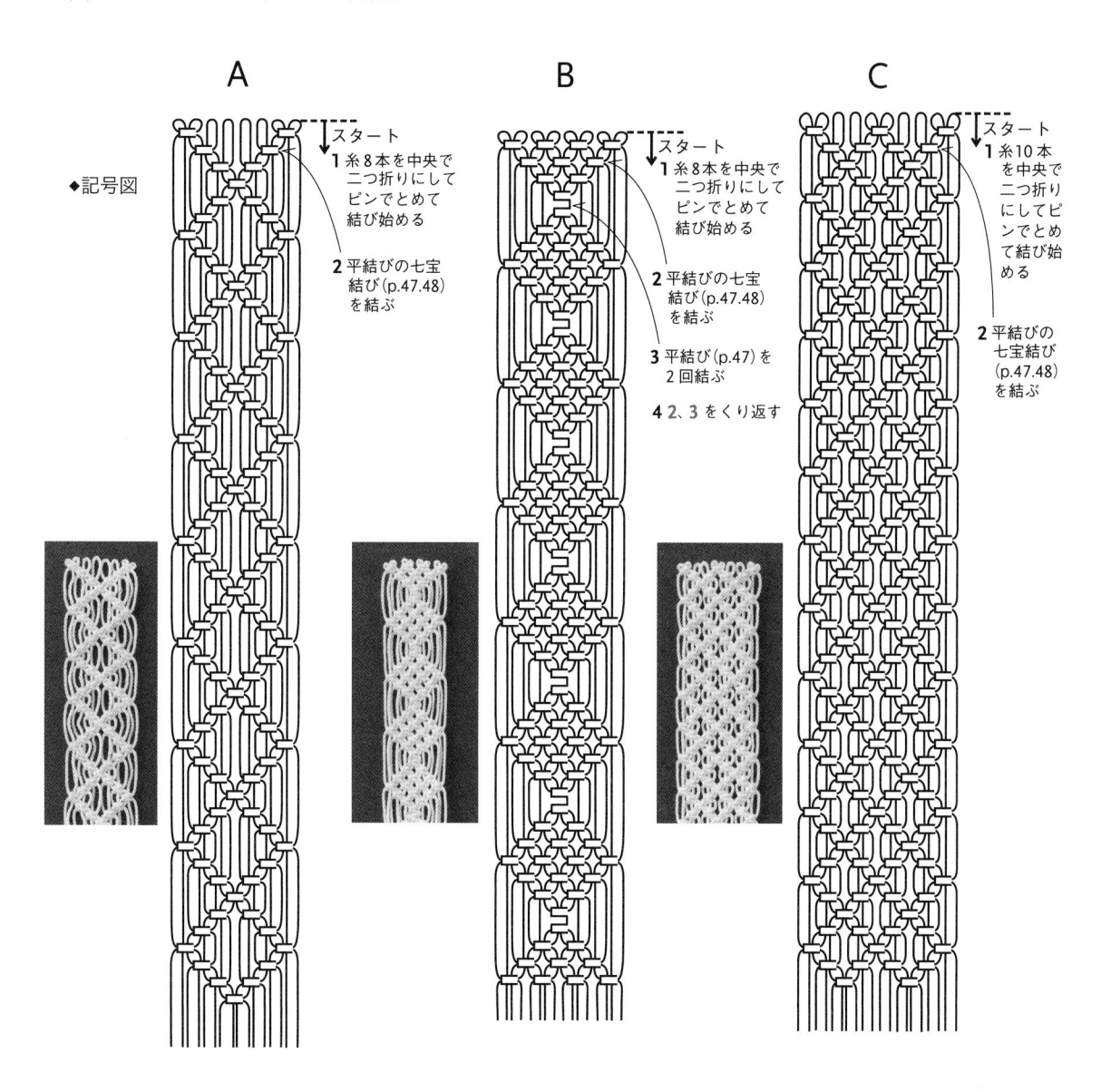

◆記号図

A
スタート
1 糸8本を中央で二つ折りにしてピンでとめて結び始める
2 平結びの七宝結び(p.47.48)を結ぶ

B
スタート
1 糸8本を中央で二つ折りにしてピンでとめて結び始める
2 平結びの七宝結び(p.47.48)を結ぶ
3 平結び(p.47)を2回結ぶ
4 2、3をくり返す

C
スタート
1 糸10本を中央で二つ折りにしてピンでとめて結び始める
2 平結びの七宝結び(p.47.48)を結ぶ

Collar ▶P.12

軽やかな七宝つなぎのつけ衿。
型紙に合わせて、七宝結びをしていきます。

◎ でき上がりサイズ
幅約5cm、首回り約41cm

◎ 材料
DARUMA 鴨川 #18（ベージュ・102）
　　2m20cmを10本
ボタン　直径1cmを1個
バイアステープ（両折）1.3cm幅を13cm

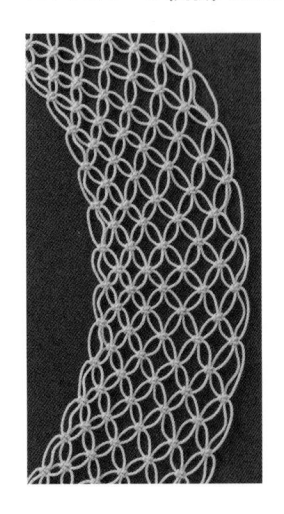

◆記号図

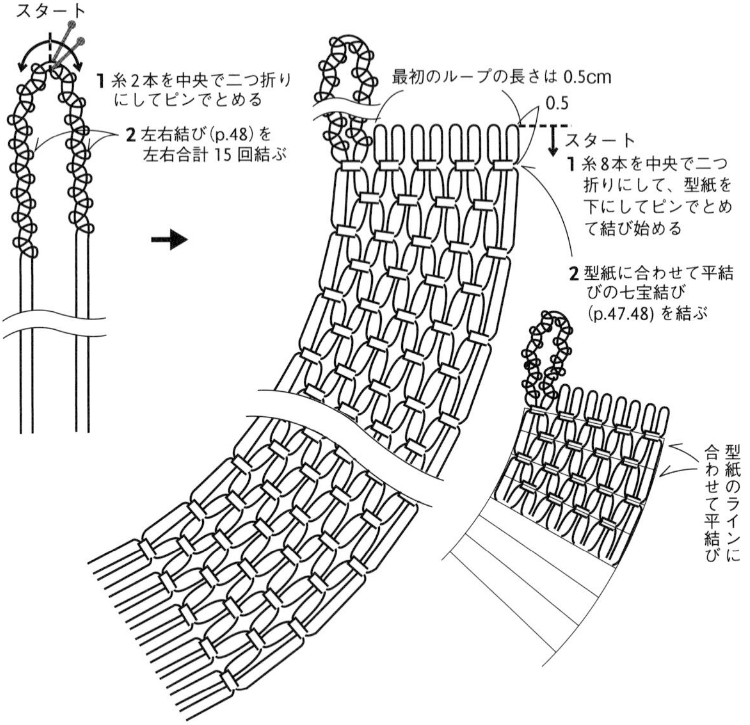

スタート
1 糸2本を中央で二つ折りにしてピンでとめる
2 左右結び（p.48）を左右合計15回結ぶ

最初のループの長さは0.5cm
0.5
スタート
1 糸8本を中央で二つ折りにして、型紙を下にしてピンでとめて結び始める
2 型紙に合わせて平結びの七宝結び（p.47,48）を結ぶ

型紙のラインに合わせて平結び

バイアステープのつけ方（糸端の始末）

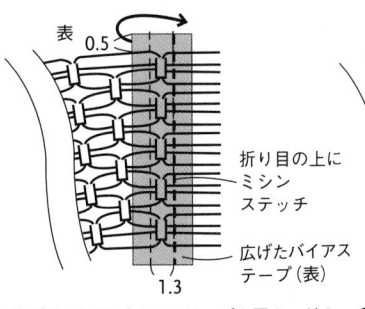

表　0.5

折り目の上にミシンステッチ
広げたバイアステープ（表）
1.3

表
② 両端を折る
① 折り目で折る
1.3
バイアステープ（表）

表
0.6

裏

1. 結び目の下にバイアステープを置き、縫う（反対側は左右結びのループを縫わないように気をつける）。糸端は0.5cm残してカットし、テープを矢印の方向に折る

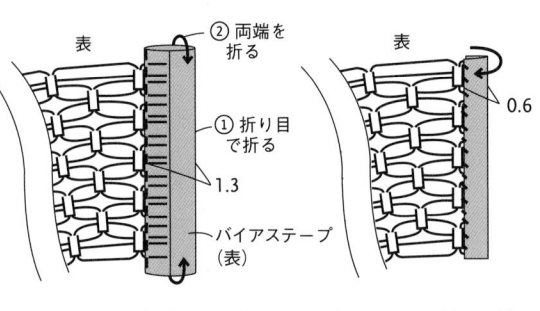

2. バイアステープの折り目で折り、両端を折る

3. バイアステープを二つ折りにしてくるみ、表と裏をまつる

4. もう一度裏へ折り曲げ、まつる
5. 表側にボタンをつける

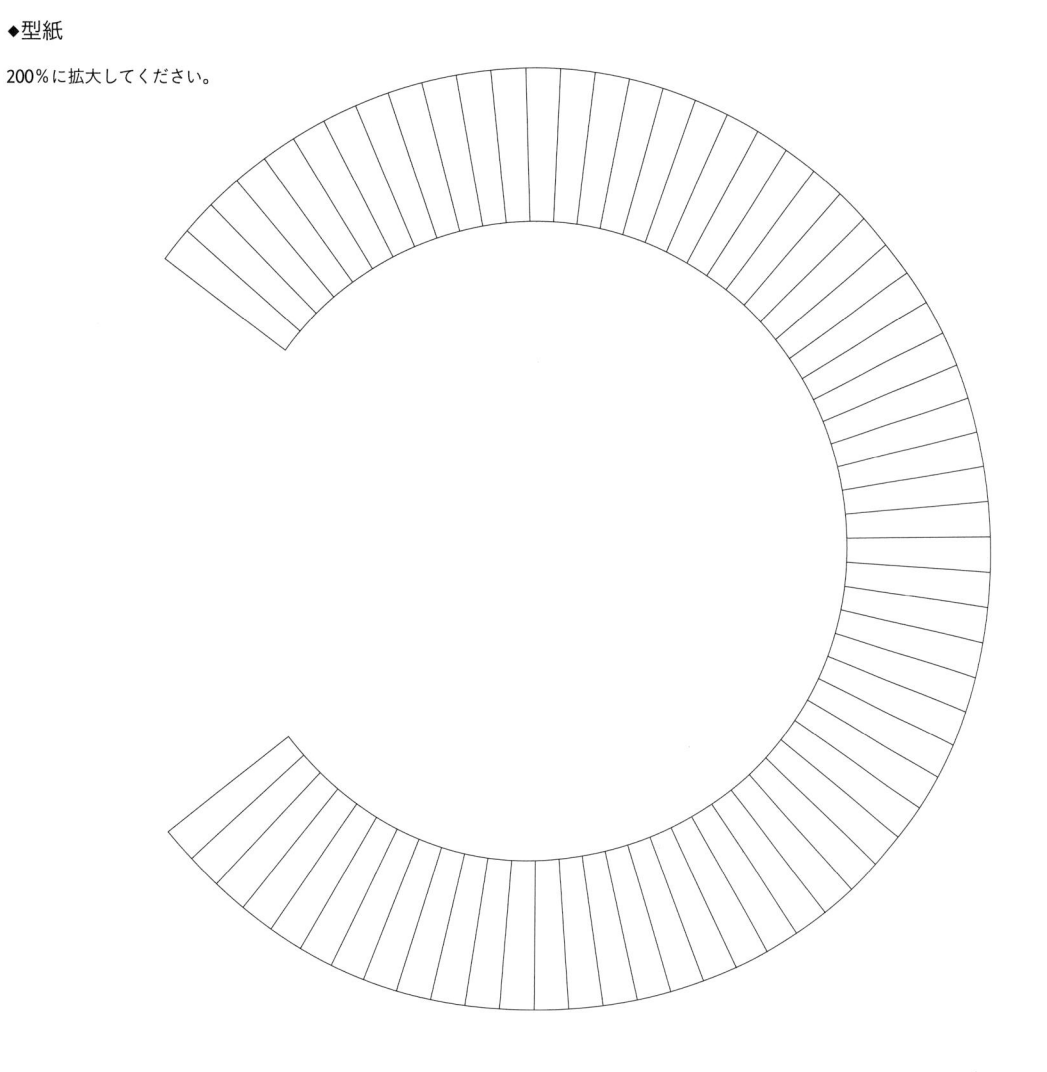

◆型紙

200％に拡大してください。

Hair Accessory ◀ P.15

左右結びと平結びの連続模様のヘアアクセサリー。
少し太いたこ糸で長く作り、ベルトに仕上げても。

◉ でき上りサイズ
長さ約1m14cm(モチーフ部分約44cm)

◉ 材料
DARUMA 鴨川#18(ベージュ・102)　2m80cmを12本

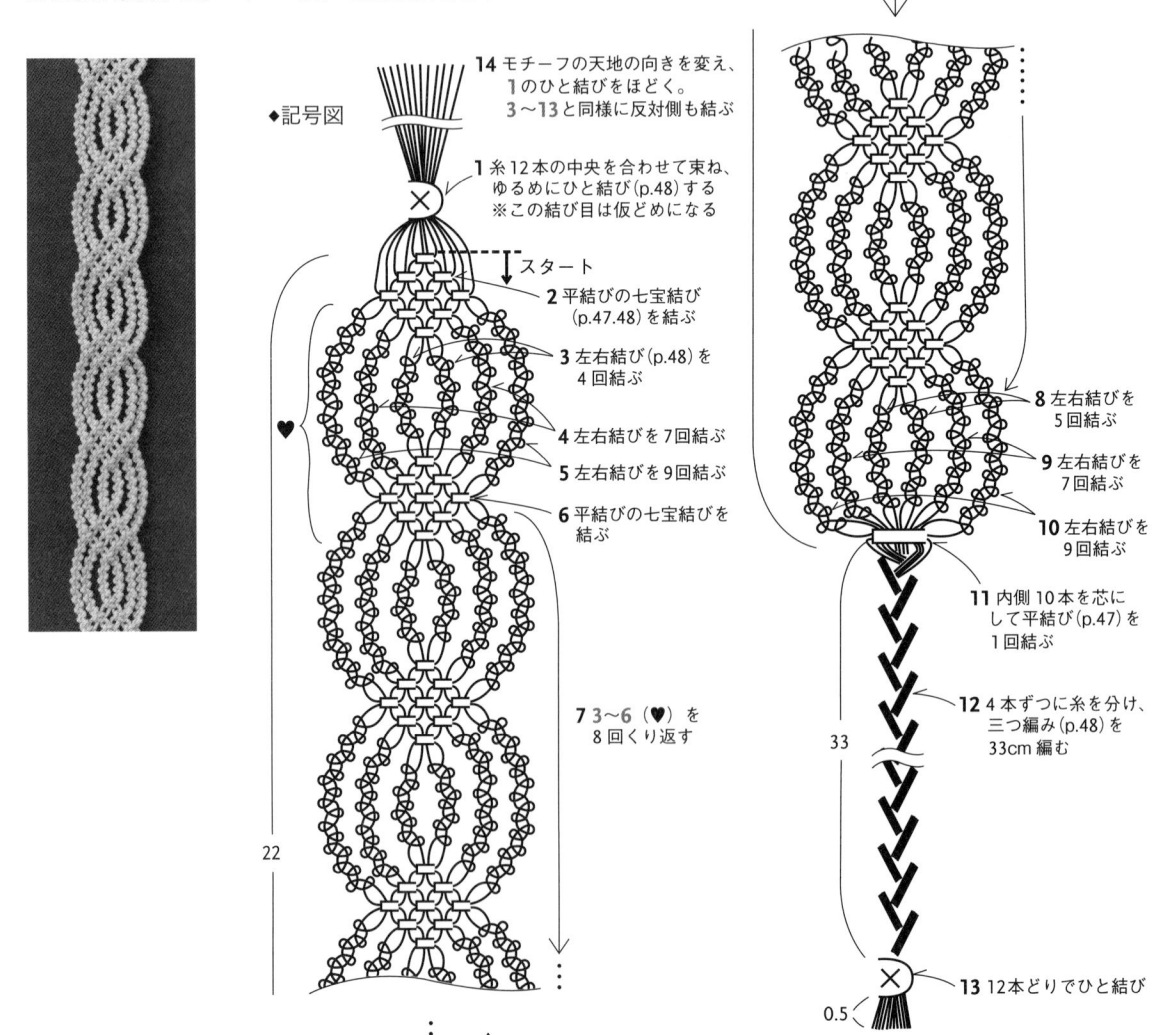

◆記号図

14 モチーフの天地の向きを変え、1のひと結びをほどく。3〜13と同様に反対側も結ぶ

1 糸12本の中央を合わせて束ね、ゆるめにひと結び(p.48)する
※この結び目は仮どめになる

スタート

2 平結びの七宝結び(p.47.48)を結ぶ

3 左右結び(p.48)を4回結ぶ

4 左右結びを7回結ぶ

5 左右結びを9回結ぶ

6 平結びの七宝結びを結ぶ

7 3〜6(♥)を8回くり返す

8 左右結びを5回結ぶ

9 左右結びを7回結ぶ

10 左右結びを9回結ぶ

11 内側10本を芯にして平結び(p.47)を1回結ぶ

12 4本ずつに糸を分け、三つ編み(p.48)を33cm編む

13 12本どりでひと結び

Bracelet ► P.16

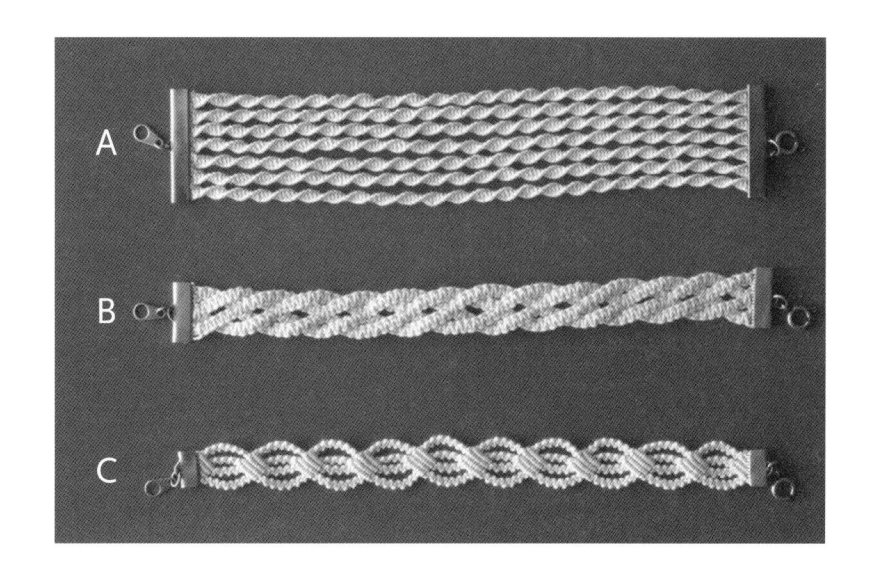

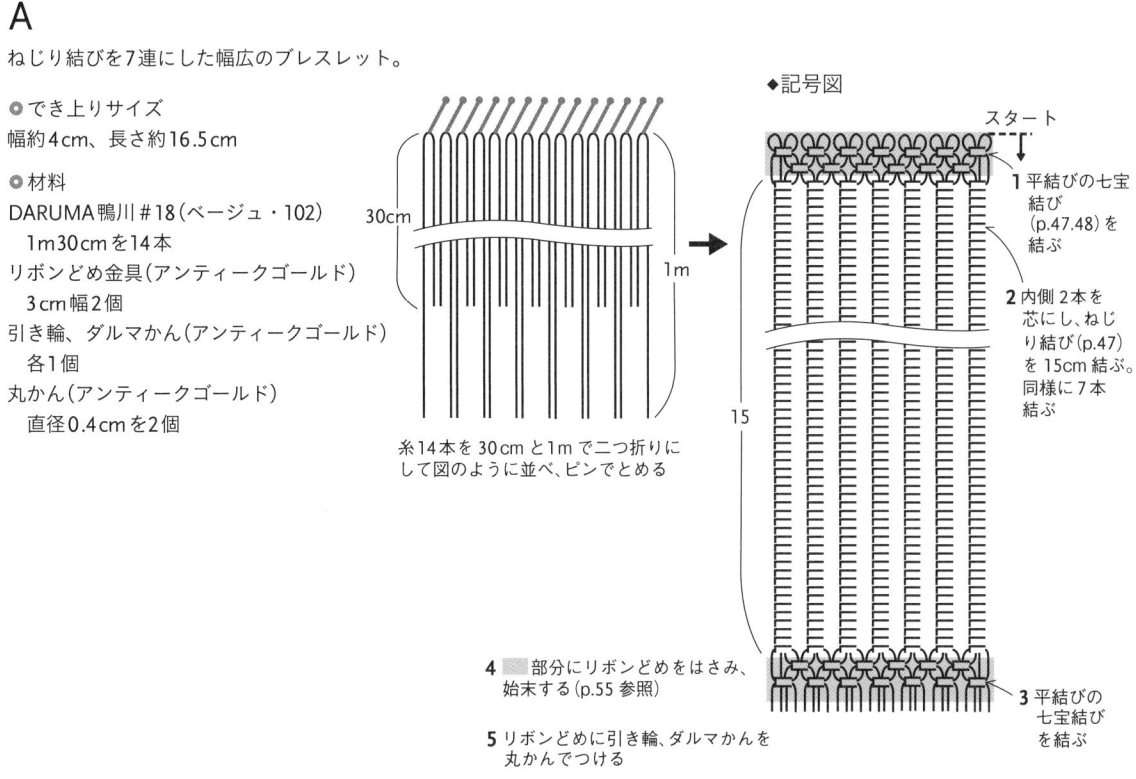

A

ねじり結びを7連にした幅広のブレスレット。

◎ でき上がりサイズ
幅約4cm、長さ約16.5cm

◎ 材料
DARUMA鴨川#18(ベージュ・102)
　1m30cmを14本
リボンどめ金具(アンティークゴールド)
　3cm幅2個
引き輪、ダルマかん(アンティークゴールド)
　各1個
丸かん(アンティークゴールド)
　直径0.4cmを2個

糸14本を30cmと1mで二つ折りにして図のように並べ、ピンでとめる

◆記号図

スタート

1 平結びの七宝結び(p.47.48)を結ぶ

2 内側2本を芯にし、ねじり結び(p.47)を15cm結ぶ。同様に7本結ぶ

3 平結びの七宝結びを結ぶ

4 ▨部分にリボンどめをはさみ、始末する(p.55参照)

5 リボンどめに引き輪、ダルマかんを丸かんでつける

B ▶P.16

平結びのコードを作りながら、
縄模様になるように組み合わせたブレスレット。

● でき上りサイズ
幅約1.3cm、長さ約16cm

● 材料
DARUMA鴨川#18(ベージュ・102)　1m40cmを8本
リボンどめ金具(アンティークゴールド)　1.6cm幅2個
引き輪、ダルマかん(アンティークゴールド)　各1個
丸かん(アンティークゴールド)　直径0.4cmを2個

40cm

1m

糸8本を40cmと1mで二つ折りにして
図のように並べ、ピンでとめる

◆記号図

スタート

1 平結びの七宝結び
（p.47.48）を結ぶ

2 内側6本を芯にし、
平結び(p.47)を
1回結ぶ

3 4本ずつに分け、
右側に平結び
10回結ぶ

4 左側4本で
平結び10回結ぶ

6 右側4本で平結び
5回結ぶ。結び目を
3の下側に置く

7 左側4本で平結び
5回結ぶ
4の上側に置く

8 内側6本を芯にし、
平結びを1回結ぶ

10 左側4本で平結び10回結ぶ
結び目を4の下側に置く

5 内側6本を芯にし、
平結びを1回結ぶ

9 4本ずつに分け、
右側に平結び
10回結ぶ。結び目
を3の上側に置く

13 左側4本で平結び10回結ぶ
結び目を10の下側に置く

11 内側6本を芯にし、
平結びを1回結ぶ

15

12 4本ずつに分け、
右側に平結び10回
結ぶ。結び目を9の
上側に置く

14 内側6本を芯にし、
平結びを1回結ぶ

※9～14を15cmになる
まで繰り返す

16 ▨部分にリボンどめをはさみ、
始末する(p.55参照)

平結び5回
下側に置く

平結び5回
上側に置く

15 平結びの七宝結び
を結ぶ

17 リボンどめに引き輪、ダルマかんを
丸かんでつける

C ►P.16

左右結びと巻結びで鎖状になるように作ったブレスレット。

◉ でき上りサイズ
幅約1.2cm、長さ約16cm

◉ 材料
DARUMA 鴨川 #18（ベージュ・102）　1m80cmを4本
リボンどめ金具（アンティークゴールド）　1cm幅2個
引き輪、ダルマかん（アンティークゴールド）　各1個
丸かん（アンティークゴールド）　直径0.4cmを2個

◆記号図

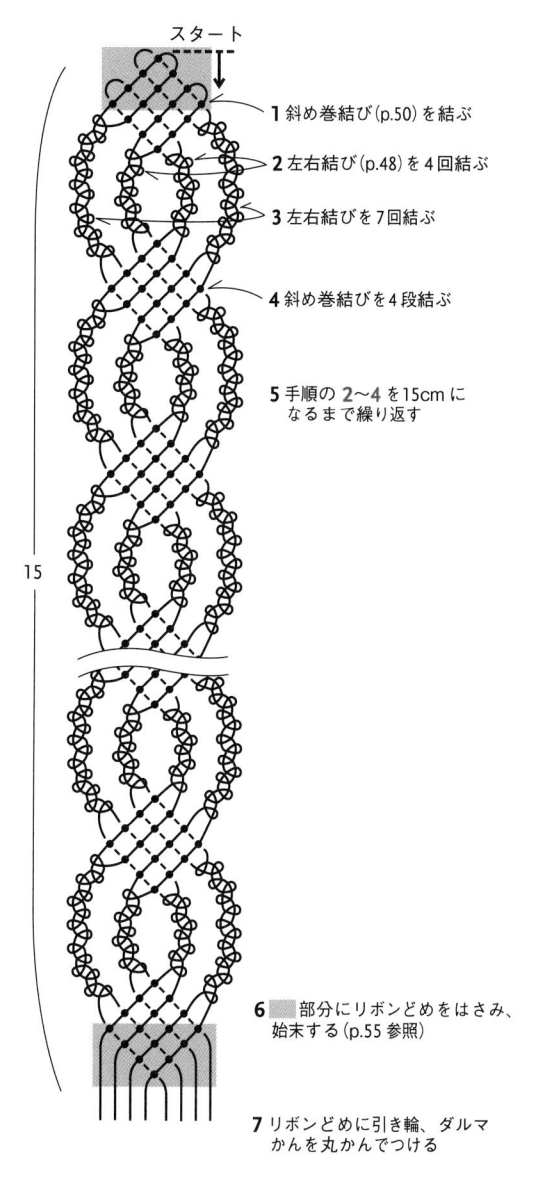

スタート

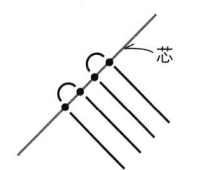

1. 糸1本を芯にして中央に「巻結びの取りつけ方」(p.49)で糸2本を取りつける

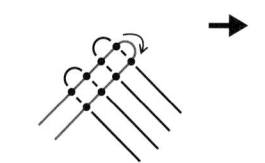

2. 芯にした糸を折り曲げ、斜め巻結び。残り1本の糸は中央で二つ折りにして置き、斜め巻結びを2段結ぶ

1 斜め巻結び(p.50)を結ぶ

2 左右結び(p.48)を4回結ぶ

3 左右結びを7回結ぶ

4 斜め巻結びを4段結ぶ

5 手順の 2〜4 を15cmになるまで繰り返す

15

6 ▨部分にリボンどめをはさみ、始末する(p.55参照)

7 リボンどめに引き輪、ダルマかんを丸かんでつける

Ring ▶P.18

メタルフープ(リングのベース)を2、3重に重ね、
平結びでくるんで作るリング。
平結びの間にピコットを入れたデザインも。
いろいろな糸で作り、重ねづけしてもおしゃれ。

A メタルフープ2重のリング

○ でき上りサイズ　9号 幅約0.4cm

○ 材料
DARUMA鴨川#18(ベージュ・102) 1m20cmを1本
メタルフープ　直径1.7cmを2本

B メタルフープ3重のリング(ゴールド、シルバー、ベージュ)

○ でき上りサイズ　15号 幅約0.5cm

○ 材料
ステンレスコード0.8mmタイプ
(Newゴールド・715 またはシルバー・716)
またはDARUMA鴨川#18(ベージュ・102) 1m50cmを1本
メタルフープ　直径1.9cmを3本

C メタルフープ5重のリング

○ でき上りサイズ　15号 幅約0.8cm

○ 材料
DARUMA鴨川#18(ベージュ・102) 1m80cmを1本
メタルフープ　直径1.9cmを5本

D メタルフープ2重のピコットリング

○ でき上りサイズ　15号 幅約0.8cm

○ 材料
DARUMA鴨川#18(ベージュ・102)
　1m50cmを1本
メタルフープ　直径1.9cmを2本

◆ 記号図(D)

Dのリング

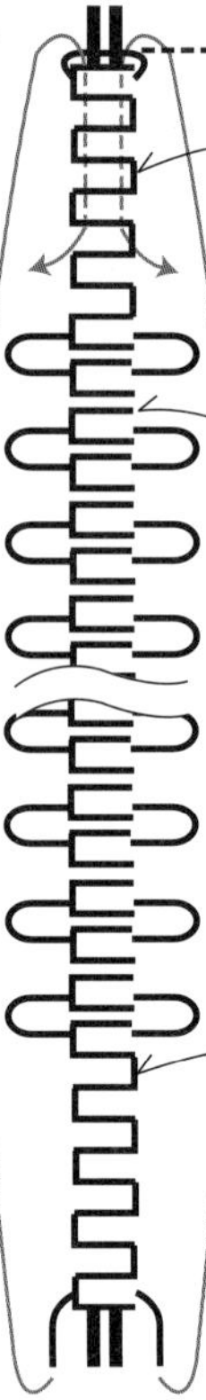

↓スタート

1 フープを2本束ねて芯にし、平結び(p.47)を5回結ぶ
※スタートのしかたは下の図と同様

2 ピコット結び(p.48)をスタートの約0.8cm手前(平結び5回分の長さ)まで結ぶ

3 平結びを5回結ぶ

4 糸端を矢印のようにスタートの結び目2、3目に入れ込み、引き締める(p.67「平結びの糸始末」参照)。糸端をぎりぎりでカットする

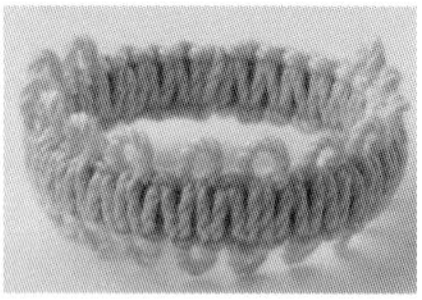

Bのリング

◆ 記号図(A,B,C)

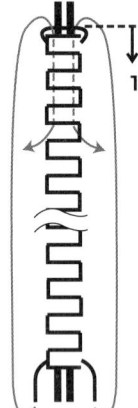

↓スタート

1 フープを指定の本数束ねて芯にし、平結び(p.47)をフープが埋まるまで結ぶ

作品A フープ2本
作品B フープ3本
作品C フープ5本

2 糸端を矢印のようにスタートの結び目2、3目に入れ込み、引き締める(p.67「平結びの糸始末」参照)。糸端をぎりぎりでカットする

平結びのスタートのしかた

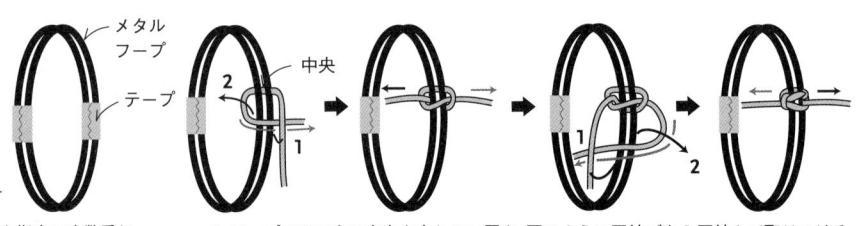

メタルフープ　テープ　中央

1. フープを指定の本数重ね、テープで固定する
※テープは途中で結びながら外していく

2. フープの下に糸の中央を合わせて置き、図のように平結びを1回結んで取りつける

Ring ▶P.19

トップにしゃこ結びやねじり結びでデザインのアクセントを、ベースを平結びで作ったリング。

A
しゃこ結びのリング

◎ でき上がりサイズ
幅約1.3cm（前面）、約0.5cm（平結び部分）

◎ 材料
DARUMA鴨川#18（ベージュ・102）
糸A：80cmを6本、糸B：1m20cmを1本

◆記号図

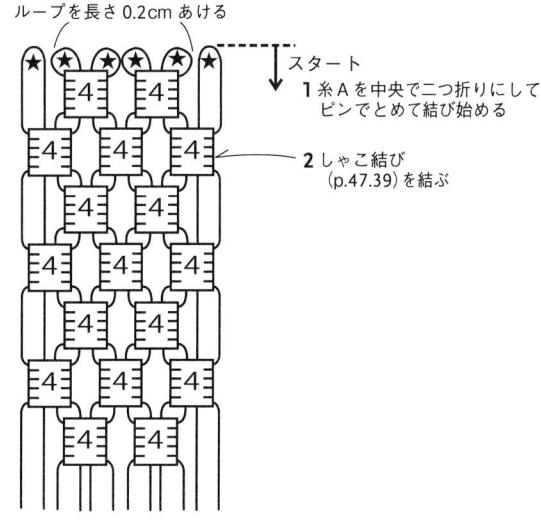

ループを長さ0.2cmあける

スタート
1. 糸Aを中央で二つ折りにしてピンでとめて結び始める
2. しゃこ結び（p.47.39）を結ぶ

3. 糸端2本ずつをスタートの★のループに裏側から通す
4. 輪にし、糸Bで平結びをして糸端を始末する（下図参照）

リングの後ろ側の作り方

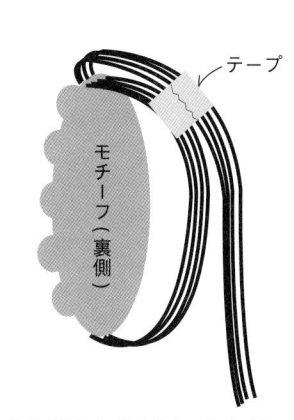

テープ

モチーフ（裏側）

1. 糸端を輪にし、指を入れてサイズを調整する。大きさが決まったらテープなどで仮どめする

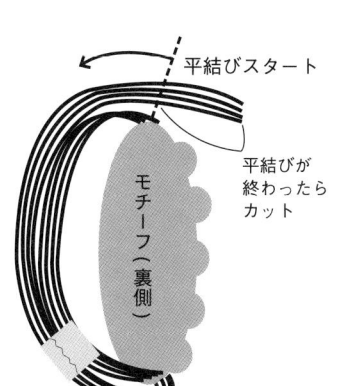

平結びスタート
平結びが終わったらカット

モチーフ（裏側）

2. 天地の向きをかえ、糸端すべてを芯にし、モチーフの端から糸Bで平結びを反対側まで結ぶ
※平結びのスタートのしかたはp.66「スタートのしかた」参照

平結びの糸始末

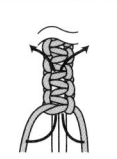

3. 端まで結び終わったら、平結びの結び目に糸端を通してカットする
※結び目に通らないときは結び目を少し緩め、細いかぎ針、目打ちなどを使って通す

4. しゃこ結びの糸端もカットする

B ►P.19
巻結びのジグザグリング

● でき上がりサイズ
幅約1cm(前面)、約0.5cm(平結び部分)

● 材料
DARUMA 鴨川 #18(ベージュ・102)
糸A:1mを3本、糸B:1m20cmを1本

◆記号図

1. 糸A1本の中央を固定し、片方を芯にして横巻結び(p.49)

2. 続けて糸A2本を「巻結びの取りつけ方」(p.49)で取りつける

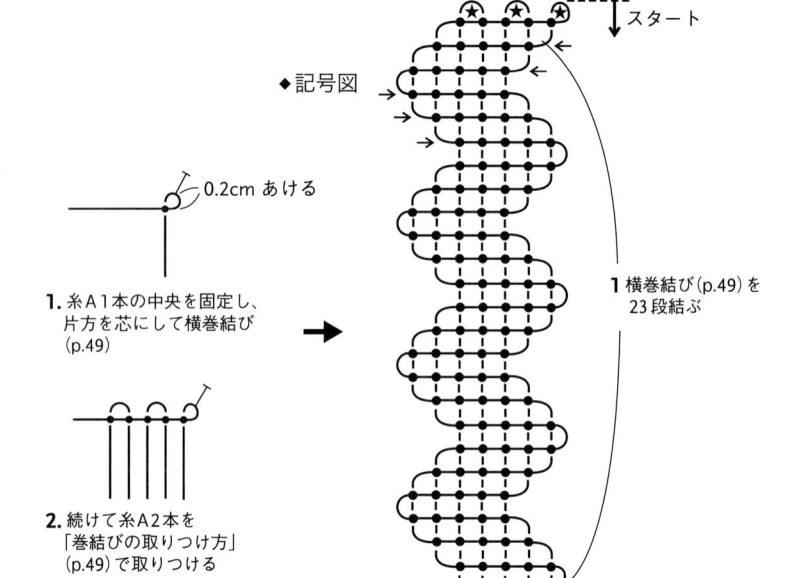

0.2cm あける

スタート

1 横巻結び(p.49)を23段結ぶ

2 糸端2本ずつをスタートの★のループに裏側から通す

3 p.67下-1.と同様に輪にし、糸Bで平結び(p.47)をして糸端を始末する

C ►P.19
ねじり結びのリング

● でき上がりサイズ
幅約1cm(前面)、約0.5cm(平結び部分)

● 材料
DARUMA 鴨川 #18(ベージュ・102)
糸A:80cmを6本、糸B:1m20cmを1本

◆記号図

ループを長さ0.2cm あける

スタート

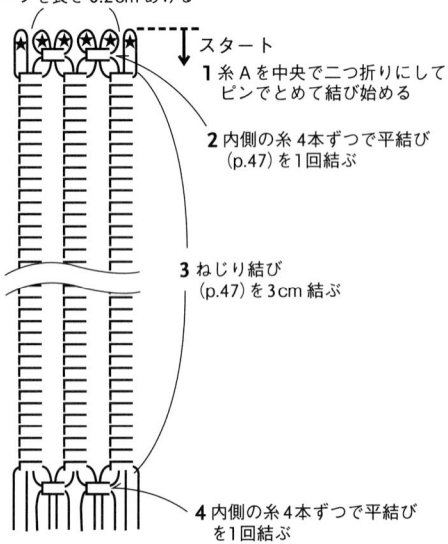

1 糸Aを中央で二つ折りにしてピンでとめて結び始める

2 内側の糸4本ずつで平結び(p.47)を1回結ぶ

3 ねじり結び(p.47)を3cm結ぶ

4 内側の糸4本ずつで平結びを1回結ぶ

5 糸端2本ずつをスタートの★のループに裏側から通す

6 p.67下-1.と同様に輪にし、糸Bで平結びをして糸端を始末する

Barretta ▶P.21

斜め巻結びで作る長めのバレッタ
（p.20の右上のサンプラーのデザインと同様）。

◎でき上りサイズ
幅約1.5cm、長さ約9cm

◎材料
DARUMA鴨川#18（ベージュ・102）
　1m50cmを7本
バレッタ金具（アンティークゴールド）
　長さ8cmを1個

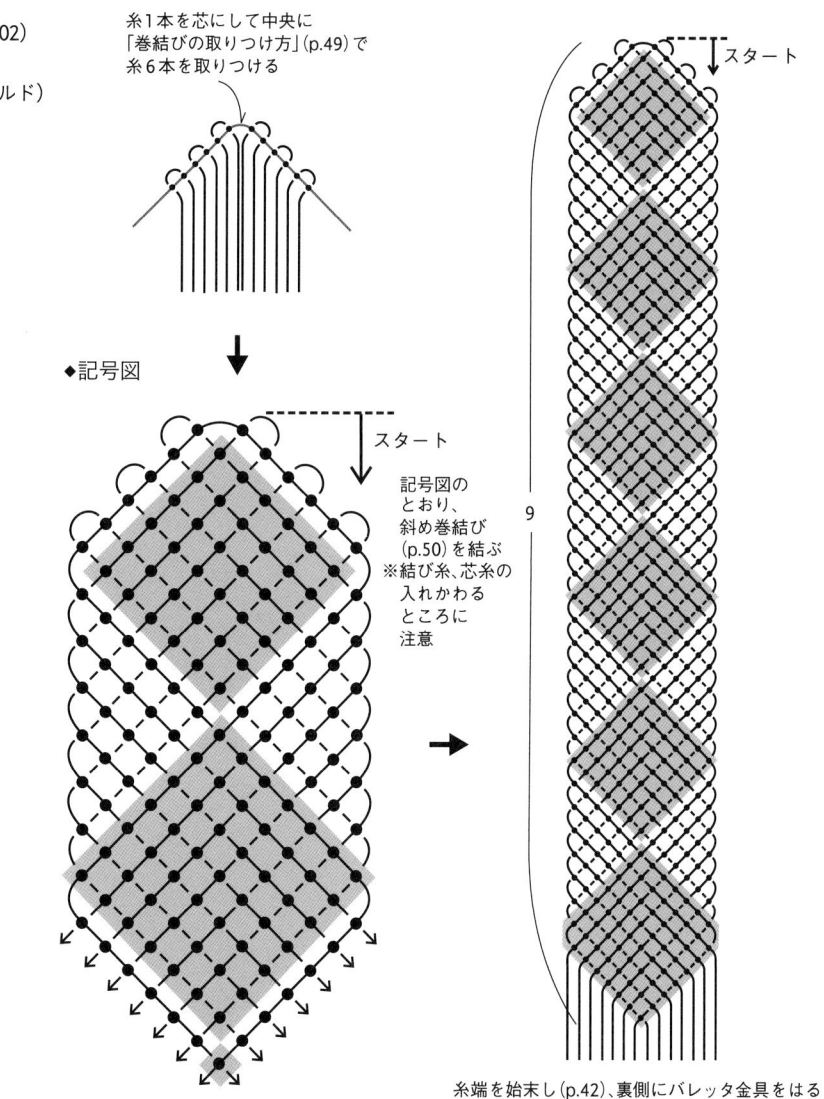

糸1本を芯にして中央に
「巻結びの取りつけ方」（p.49）で
糸6本を取りつける

◆記号図

スタート

スタート

記号図の
とおり、
斜め巻結び
（p.50）を結ぶ
※結び糸、芯糸の
入れかわる
ところに
注意

9

糸端を始末し（p.42）、裏側にバレッタ金具をはる

Earring, Pierce ▶P.22

巻結びとビーズで作る
シンプルなイアリングとピアス。

A
ジグザグのイアリング

- でき上がりサイズ　1×2cm

- 材料（1組み分）
DARUMA鴨川 #18（生成り・101）
　50cmを8本
合皮スエード（グレー）　3×3cm
イアリング金具（ゴールド）　1組み

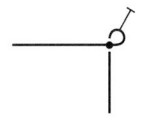

1. 糸1本の中央を固定し、片方を芯にして横巻き結び（p.49）

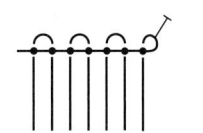

2. 続けて3本の糸を「巻結びの取りつけ方」（p.49）で取りつける

→ p.71へ

B
三角のビーズピアス

- でき上がりサイズ　約2.5×1.4cm

- 材料（1組み分）
DARUMA鴨川 #18（生成り・101）
糸A：40cmを18本、糸B：30cmを2本
丸小ビーズ（ゴールド）　32個
合皮スエード（グレー）　3×3cm
ピアス金具（ゴールド）　1組み

三角の頂点の結び方

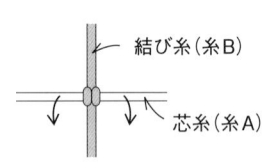

結び糸（糸B）
芯糸（糸A）
新しい芯糸（糸A）

1. 芯糸に結び糸を横巻き結び（p.49）し、芯糸を下におろす

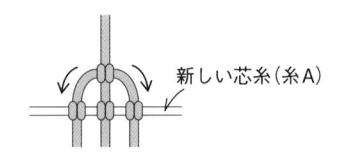

2. 新しい糸を芯にして、1.でおろした芯糸を結び糸にして横巻き結び（以降同様に芯糸を下におろしながら作り進む）

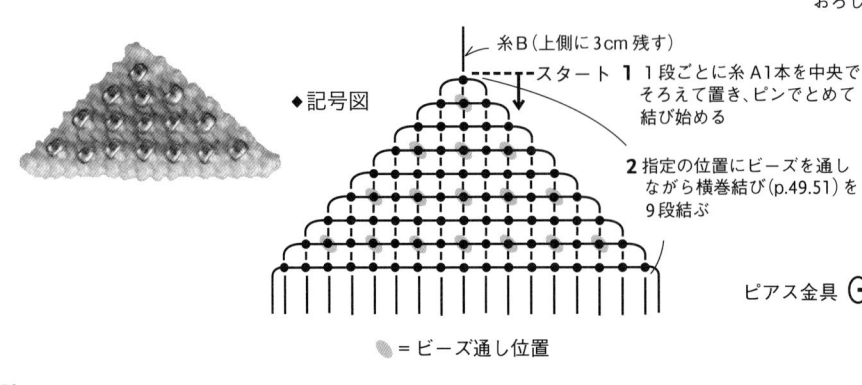

◆記号図

糸B（上側に3cm残す）

スタート　1　1段ごとに糸A1本を中央でそろえて置き、ピンでとめて結び始める

2 指定の位置にビーズを通しながら横巻き結び（p.49、51）を9段結ぶ

3 糸端を表側（ビーズの出ていない側）で始末し（p.42）、スエード裏側からピアス金具を刺して固定し、モチーフ表側にはる
※ビーズの見える側（裏側）を表とする

= ビーズ通し位置

ピアス金具　スエード裏側
※三角の中心部分に差し込む

◆記号図　　　　　　　　※反対側は左右対称に結ぶ

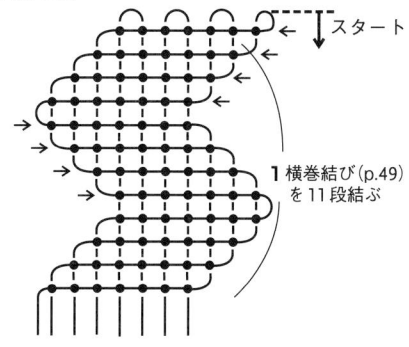

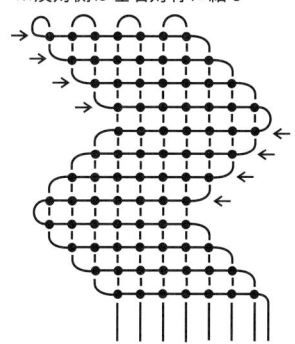

1 横巻結び(p.49)を11段結ぶ

2 糸端を始末し(p.42)、裏側にスエードをはる。
　スエードにイアリング金具をはる

C
四角のビーズピアス

- でき上りサイズ　約1.3×1.3cm
- 材料（1組み分）
DARUMA鴨川#18（生成り・101）
糸A：50cmを8本、糸B：80cmを2本
丸小ビーズ（シルバー）　32個
合皮スエード（グレー）　3×3cm
ピアス金具（シルバー）　1組み

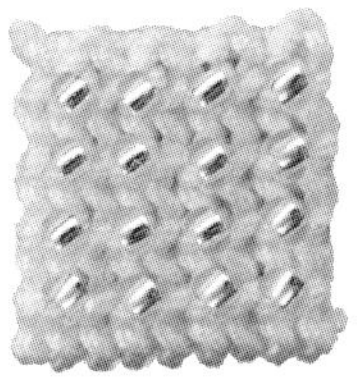

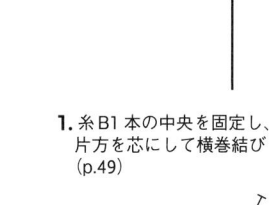

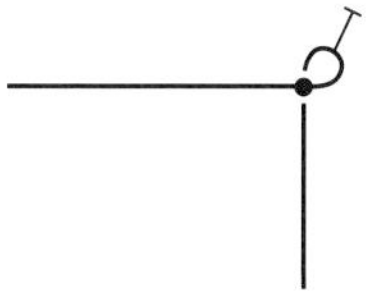

1. 糸B1本の中央を固定し、片方を芯にして横巻結び(p.49)

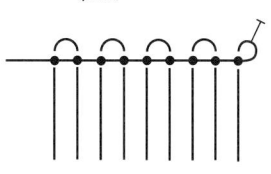

2. 続けて糸A4本を「巻結びの取りつけ方」(p.49)で取りつける

◆記号図

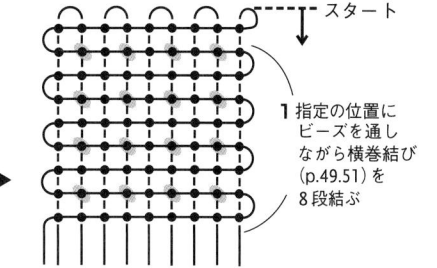

1 指定の位置にビーズを通しながら横巻結び(p.49、51)を8段結ぶ

◯ = ビーズ通し位置

2 糸端を表側（ビーズが出ていない側）で始末し(p.42)、スエード裏側からピアス金具を刺して固定し、モチーフ表側にはる
※ビーズの見える側（裏側）を表とする

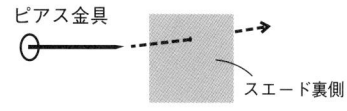

ピアス金具　スエード裏側
※四角の上側に差し込む

D ►P.22
しずく形のビーズピアス

● でき上がりサイズ　約1.5×2.2cm

● 材料（1組み分）
DARUMA 鴨川 #18（生成り・101）
糸A：50cmを8本、糸B：30cmを12本
丸小ビーズ（シルバー）　90個
合皮スエード（グレー）　3×3cm
ピアス金具（シルバー）　1組み

◆ 記号図

ビーズ23個　スタート
15個
7個

1 糸A3本にビーズを通し、中央を頂点にしてピンでとめる

2 1の中央に糸A1本を二つ折りにして置く。左側を芯にし、斜め巻結び（p.50）を結ぶ

3 糸B6本を上側に3cm残して置く

4 斜め巻結びを結ぶ
※上のビーズはすきまがあかないように下の結びを結ぶ

5 糸端を始末し（p.42）、スエード裏側からピアス金具を刺して固定し、モチーフの裏側にはる（p.73 参照）。モチーフの天地に注意する

＊つけるときはビーズが下になる

E ►P.22
長方形のビーズイアリング

● でき上がりサイズ　約1.7×1.7cm

● 材料（1組み分）
DARUMA 鴨川 #18（生成り・101）
糸A：50cmを10本、糸B：80cmを8本
丸小ビーズ（ゴールド）　58個
合皮スエード（グレー）　3×3cm
イアリング金具（ゴールド）　1組み

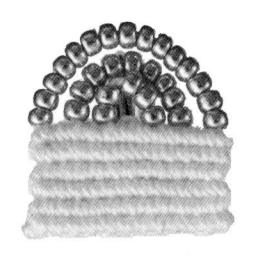

ビーズ15個　スタート
9個
5個

糸A1本を足す（芯）

1 糸A3本にビーズを通し、中央を頂点にしてピンでとめる

3 糸Bを上側に3cm残して置く

2 1の中央に糸A1本を二つ折りにして置く。芯にA1本を足して「巻結びの取りつけ方」（p.49）で取りつける

4 横巻結び（p.49）を6段結ぶ
※上のビーズはすきまがあかないように下の結びを結ぶ

5 糸端を始末し（p.42）、裏側にスエードをはる。モチーフの天地の向きをかえ、スエードにイアリング金具をはる

＊つけるときはビーズが下になる

Bicolor Brooch, Pin Badge, Pierce, Necklace ▶P.23

黒と生成りの2色の糸を使ってストライプや文字、数字をデザインしたアクセサリー。
横巻結びと縦巻結びを交互に使って模様を作るカバンドリーワークのテクニックで(p.51)。

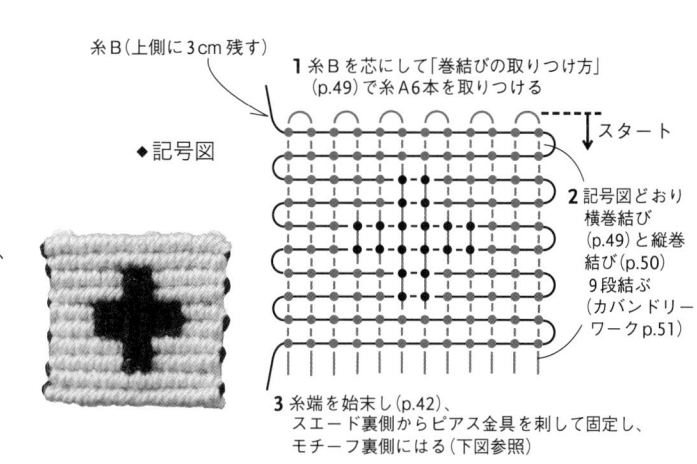

A クロスのピアス

○でき上がりサイズ　約1.6×1.6cm

○材料（1組み分）
DARUMA 鴨川 #18
白のクロス（生成り・101）糸A：50cmを6本、
　　　　　（黒・109）糸B：50cmを1本
黒のクロス（黒・109）糸A：50cmを6本、
　　　　　（生成り・101）糸B：50cmを1本
合皮スエード（グレー）　4×4cm
ピアス金具（ゴールド）　1組み

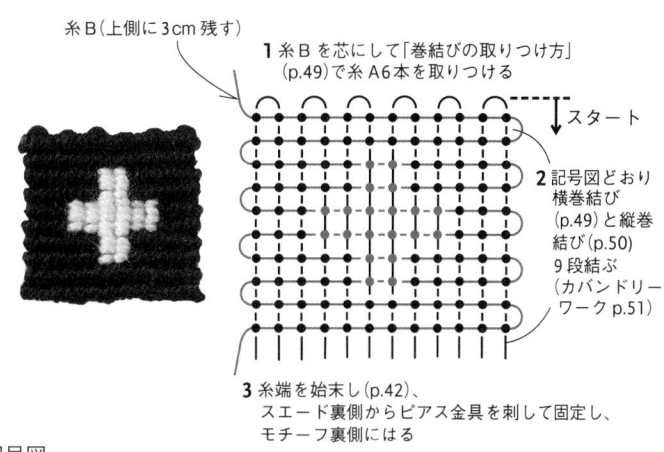

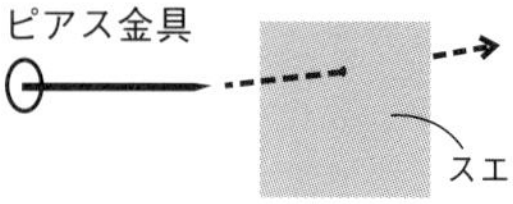

B ピンバッジ「5」

○でき上がりサイズ　約1.6×1.6cm

○材料
DARUMA 鴨川 #18　（生成り・101）
糸A：50cmを4本、糸B：30cmを1本、
（黒・109）糸C：50cmを3本
合皮スエード（グレー）　2×2cm
ピンバッジ金具（ゴールド）　1個

◆記号図

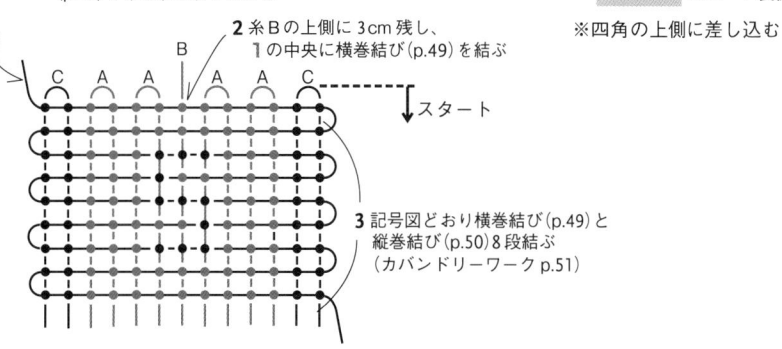

糸B（上側に3cm残す）

1 糸Bを芯にして「巻結びの取りつけ方」(p.49)で糸A6本を取りつける

↓スタート

2 記号図どおり横巻結び(p.49)と縦巻結び(p.50)9段結ぶ（カバンドリーワークp.51）

3 糸端を始末し(p.42)、スエード裏側からピアス金具を刺して固定し、モチーフ裏側にはる（下図参照）

糸B（上側に3cm残す）

1 糸Bを芯にして「巻結びの取りつけ方」(p.49)で糸A6本を取りつける

↓スタート

2 記号図どおり横巻結び(p.49)と縦巻結び(p.50)9段結ぶ（カバンドリーワークp.51）

3 糸端を始末し(p.42)、スエード裏側からピアス金具を刺して固定し、モチーフ裏側にはる

ピアス金具
スエード裏側
※四角の上側に差し込む

◆記号図

1 糸C1本を芯にして「巻結びの取りつけ方」(p.49)で糸6本を取りつける

2 糸Bの上側に3cm残し、1の中央に横巻結び(p.49)を結ぶ

糸C（上側に3cm残す）

C A A B A A C

↓スタート

3 記号図どおり横巻結び(p.49)と縦巻結び(p.50)8段結ぶ（カバンドリーワークp.51）

4 糸端を始末し(p.42)、裏側にスエードをはる。スエードにピンバッジ金具をはる

C ▶P.23
ピンバッジ「WHITE」

● でき上りサイズ　約4×1.2cm

● 材料
DARUMA鴨川#18（生成り・101）
糸A：80cmを4本、糸B：50cmを1本、
（黒・109）　糸C：1mを1本
合皮スエード（グレー）　2×5cm
ピンバッジ金具（ゴールド）　1個

◆記号図

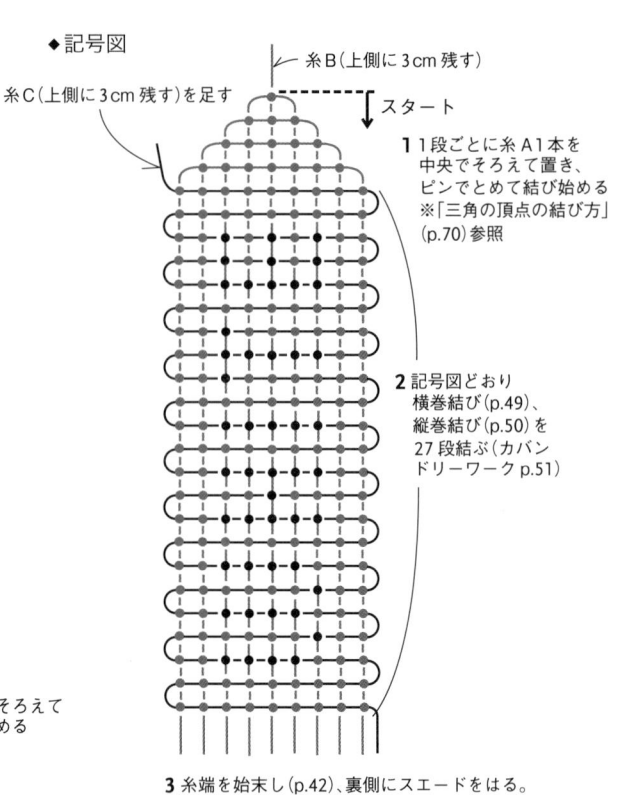

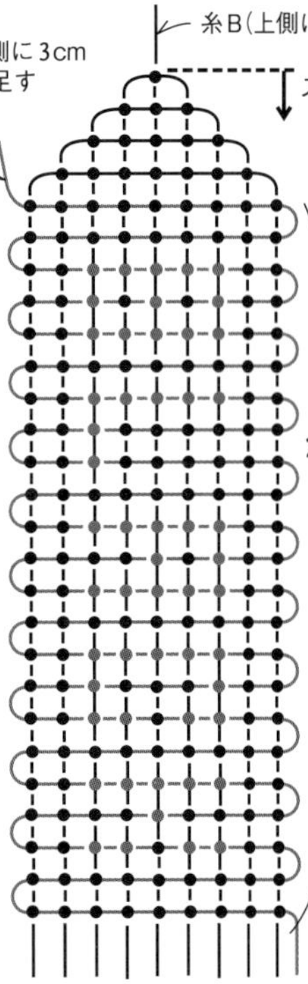

糸C（上側に3cm残す）を足す
糸B（上側に3cm残す）
スタート

1 1段ごとに糸A1本を中央でそろえて置き、ピンでとめて結び始める
※「三角の頂点の結び方」(p.70)参照

2 記号図どおり横巻結び(p.49)、縦巻結び(p.50)を27段結ぶ（カバンドリーワークp.51）

3 糸端を始末し(p.42)、裏側にスエードをはる。スエードにピンバッジ金具をはる

糸C（上側に3cm残す）を足す
糸B（上側に3cm位残す）
スタート

1 1段ごとに糸A1本を中央でそろえて置き、ピンでとめて結びはじめる
※「三角の頂点の結び方」(p.70)参照

2 記号図どおり横巻結び(p.49)、縦巻結び(p.50)、を27段結ぶ（カバンドリーワークp.51）

3 糸端を始末し(p.42)、裏側にスエードをはる。スエードにピンバッジ金具をはる

D ▶P.23
ピンバッジ「BLACK」

● でき上りサイズ　約4×1.2cm

● 材料
DARUMA鴨川#18（黒・109）
糸A：80cmを4本、糸B：50cmを1本、
（生成り・101）　糸C：1mを1本
合皮スエード（グレー）　2×5cm
ピンバッジ金具（ゴールド）　1個

E ▶P.23
スクエア＆ストライプのブローチ

◎ でき上りサイズ　約4.8×3cm

◎ 材料
DARUMA 鴨川 #18
（生成り・101）　糸A：80cmを12本、
（黒・109）　糸B：1m50cmを1本
合皮スエード（グレー）　4×6cm
ブローチピン（ゴールド）　2.5cm幅1個

◆ 記号図

糸B（上側に3cm残す）

1 糸Bを芯にして「巻結びの取りつけ方」
（p.49）で糸A8本を取りつける

スタート

2 記号図どおりに横巻結び（p.49）と縦巻結び（p.50）
を8段結ぶ（カバンドリーワーク p.51）

3 糸Bを芯にして
「巻結びの取りつけ方」（p.49）で
糸A4本を右側に取りつける

4 記号図どおり横巻結びと
縦巻結びを14段結ぶ
（カバンドリーワーク p.51）

5 糸端を始末し（p.42）、裏側にスエードをはる。
スエードにブローチピン金具をはる
（ピンは p.23と同様の角度になるようにつける）

F ▶P.23

数字のブローチ

● でき上がりサイズ　約3.3×3.2cm

● 材料
DARUMA 鴨川 #18 (生成り・101)
糸A：80cmを12本、糸B：50cmを1本、
（黒・109）　糸C：1m80cmを1本
合皮スエード（グレー）　4×4cm
ブローチピン（ゴールド）2.5cm幅1個

◆記号図

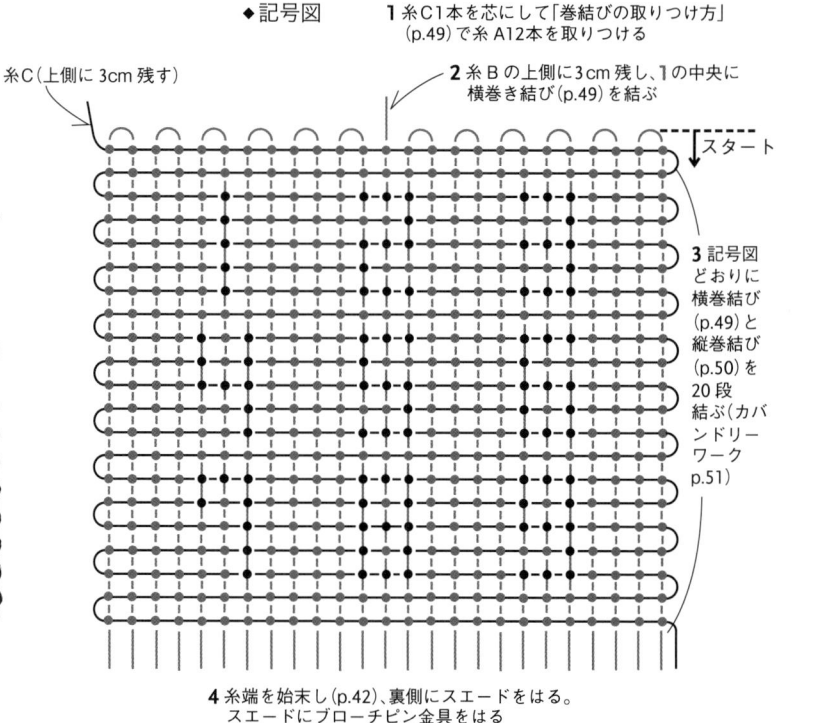

糸C（上側に3cm残す）

1 糸C1本を芯にして「巻結びの取りつけ方」(p.49)で糸A12本を取りつける

2 糸Bの上側に3cm残し、1の中央に横巻き結び(p.49)を結ぶ

↓スタート

3 記号図どおりに横巻結び(p.49)と縦巻結び(p.50)を20段結ぶ（カバンドリーワークp.51）

4 糸端を始末し(p.42)、裏側にスエードをはる。スエードにブローチピン金具をはる

G ▶P.23

ネックレス

● でき上がりサイズ
約4.8×2.8cm（モチーフ部分）

● 材料
DARUMA 鴨川 #18 (生成り・101)
糸A：1m60cmを2本、
（黒・109）　糸B：1m60cmを2本
フェルト（黒）　4×6cm
とめ具つきチェーン（ゴールド）
　約42cmを1本
[＊チェーンは中央でカットし、2本にする]
縫い糸　少々

◆記号図

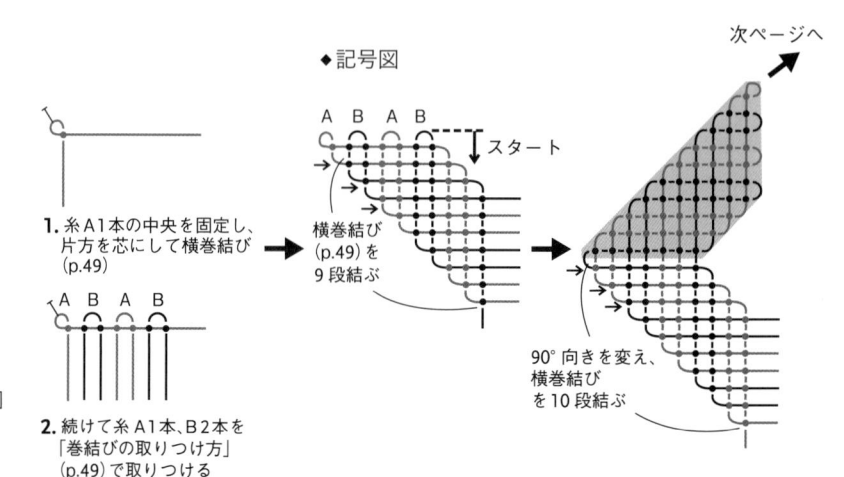

1. 糸A1本の中央を固定し、片方を芯にして横巻結び(p.49)

2. 続けて糸A1本、B2本を「巻結びの取りつけ方」(p.49)で取りつける

横巻結び(p.49)を9段結ぶ

↓スタート

次ページへ

90°向きを変え、横巻結びを10段結ぶ

76

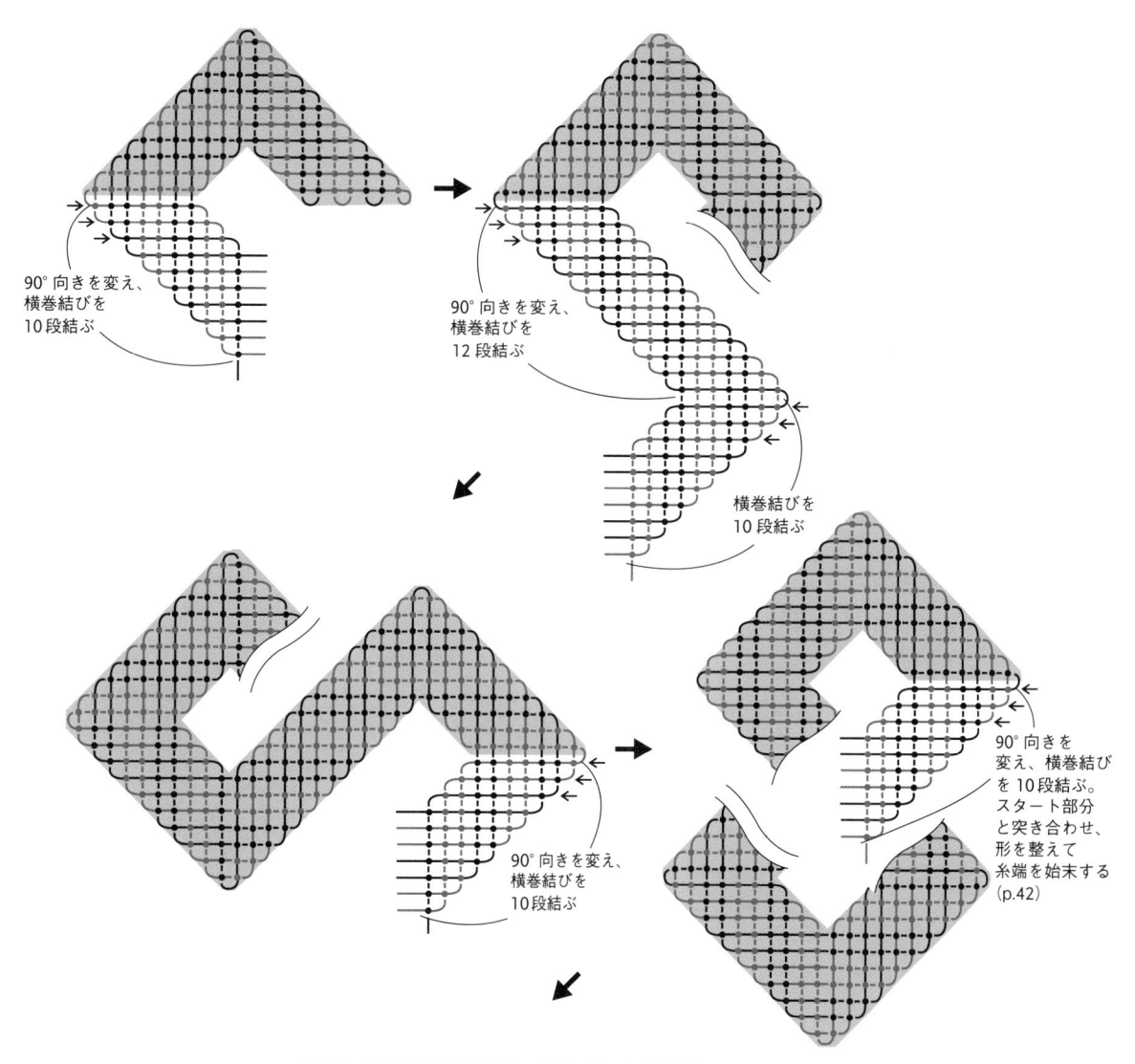

90°向きを変え、横巻結びを10段結ぶ

90°向きを変え、横巻結びを12段結ぶ

横巻結びを10段結ぶ

90°向きを変え、横巻結びを10段結ぶ

90°向きを変え、横巻結びを10段結ぶ。スタート部分と突き合わせ、形を整えて糸端を始末する (p.42)

1 モチーフの裏側にS字にカットしたフェルトをはる

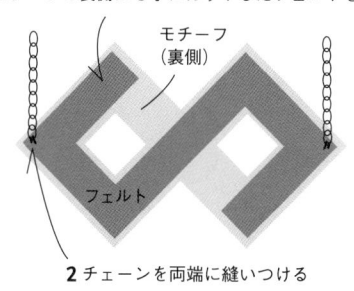

モチーフ（裏側）

フェルト

2 チェーンを両端に縫いつける

77

Endless Knot Necklace ▶P.24

ケルトの文様のようなエンドレスノットのモチーフは
巻結びの方向を変えながら作っていきます。
チェーンをつけてネックレスに。

◎ でき上がりサイズ
約4×5.3cm（モチーフ部分）

◎ 材料
DARUMA 鴨川 #18（生成り・101） 3mを3本
チェーン　55cmを1本
アジャスターチェーン、丸かん、カニかん 各1個
不織布　少々

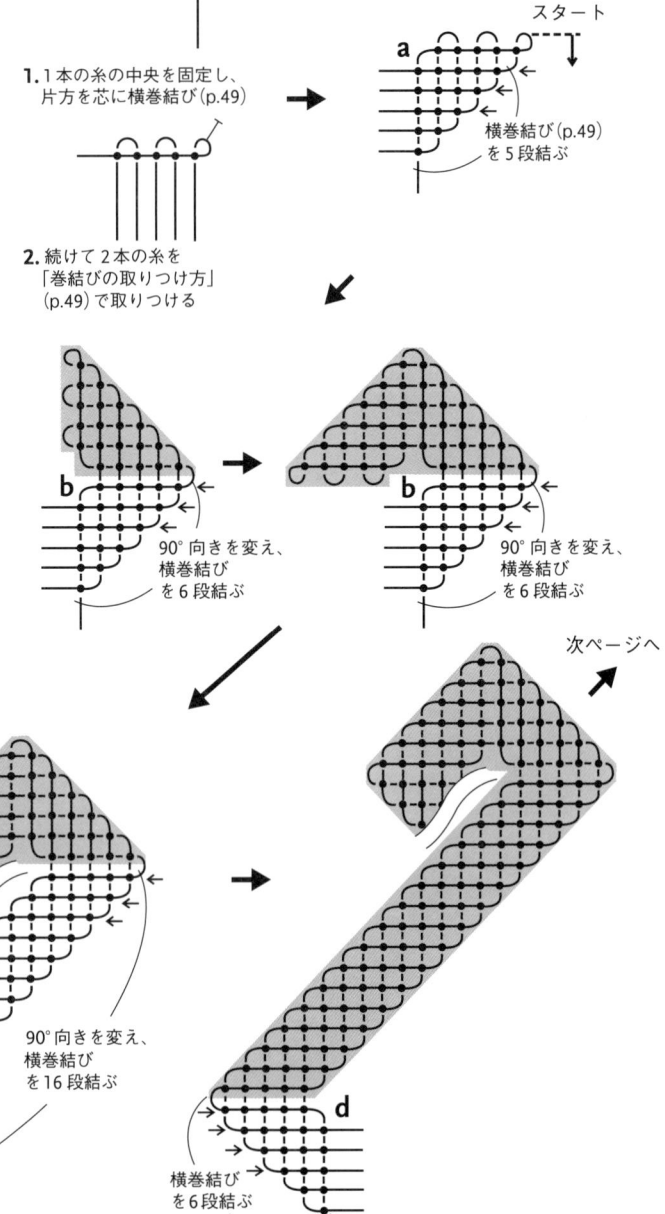

◆記号図

1. 1本の糸の中央を固定し、片方を芯に横巻結び(p.49)

2. 続けて2本の糸を「巻結びの取りつけ方」(p.49)で取りつける

a　横巻結び(p.49)を5段結ぶ　スタート

b　90°向きを変え、横巻結びを6段結ぶ

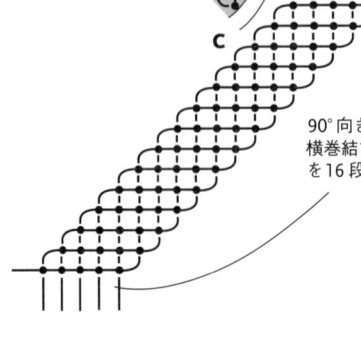

c　90°向きを変え、横巻結びを16段結ぶ

d　横巻結びを6段結ぶ

次ページへ

78

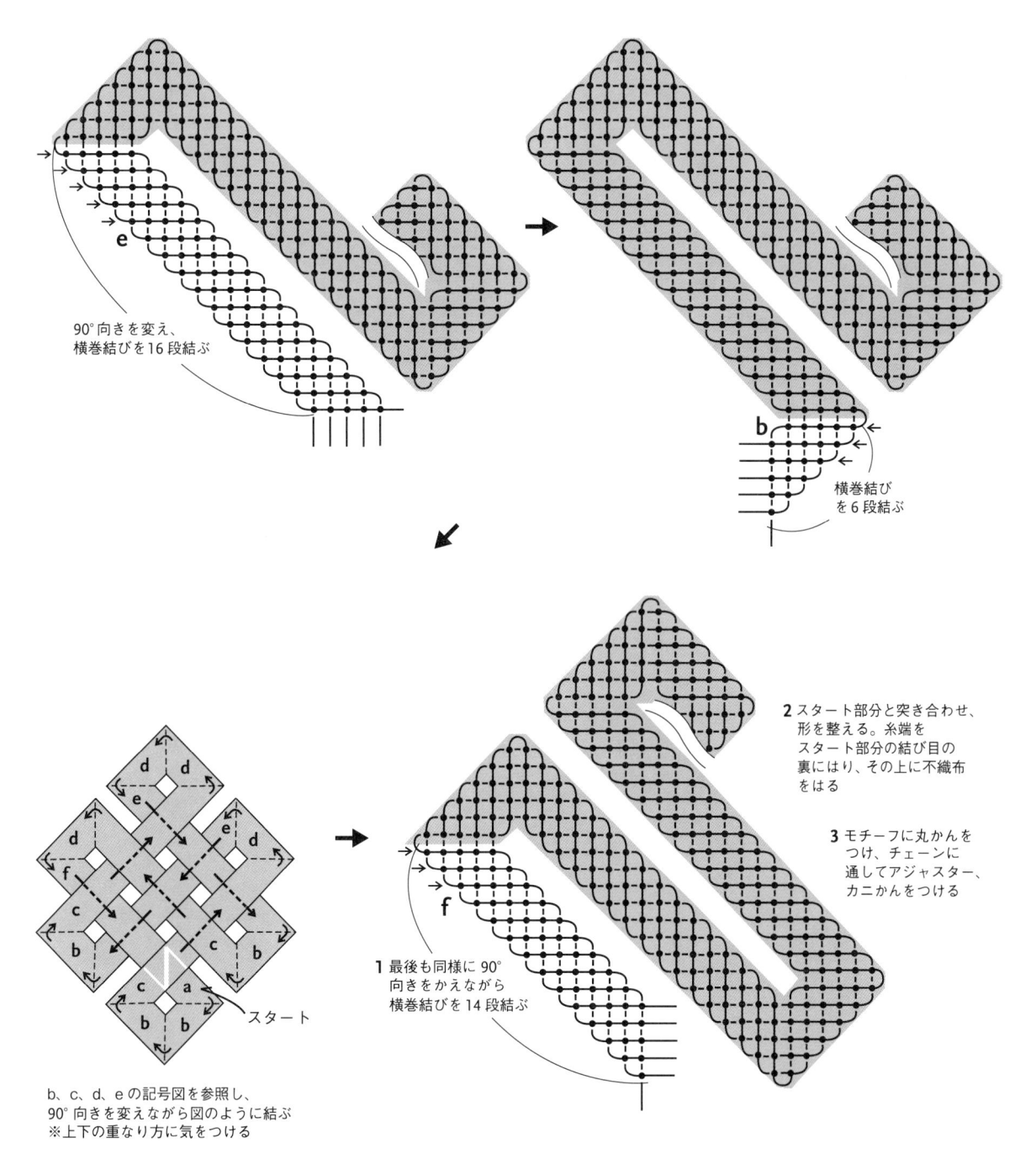

90°向きを変え、
横巻結びを16段結ぶ

横巻結び
を6段結ぶ

b、c、d、eの記号図を参照し、
90°向きを変えながら図のように結ぶ
※上下の重なり方に気をつける

スタート

1 最後も同様に90°
向きをかえながら
横巻結びを14段結ぶ

2 スタート部分と突き合わせ、
形を整える。糸端を
スタート部分の結び目の
裏にはり、その上に不織布
をはる

3 モチーフに丸かんを
つけ、チェーンに
通してアジャスター、
カニかんをつける

79

Endless Knot Swing Brooch ▶P.24

動くとエンドレスノットのモチーフが揺れる、
スイングタイプのブローチ。
エンドレスノットのモチーフは、
ネックレスよりもシンプルなスクエア型です。

● でき上りサイズ　約3.7×7cm

● 材料
DARUMA鴨川#18（ベージュ・102）
糸A：2mを3本（エンドレスノットモチーフ）、
糸B：70cmを12本（上部のモチーフ）、
糸C：50cmを1本（上部のモチーフ）
合皮スエード　少々
ブローチピン　1個
不織布　少々

＜上部のモチーフ＞

◆記号図

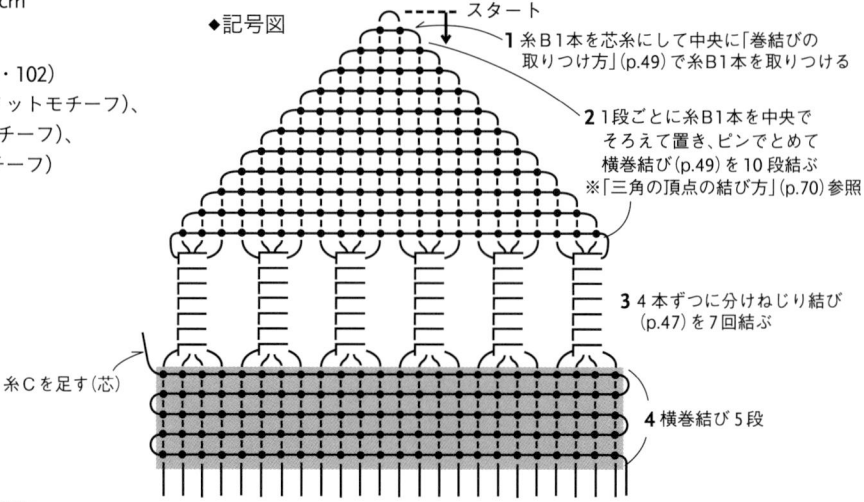

スタート

1 糸B1本を芯糸にして中央に「巻結びの取りつけ方」(p.49)で糸B1本を取りつける

2 1段ごとに糸B1本を中央でそろえて置き、ピンでとめて横巻結び(p.49)を10段結ぶ
※「三角の頂点の結び方」(p.70)参照

糸Cを足す（芯）

3 4本ずつに分けねじり結び(p.47)を7回結ぶ

4 横巻結び5段

5 糸端を始末し、▨部分の裏側のみスエードをはる。
スエードにブローチピンをはる
※ブローチピンは天地の向きを逆につける

80

＜下部のエンドレスノットモチーフ＞

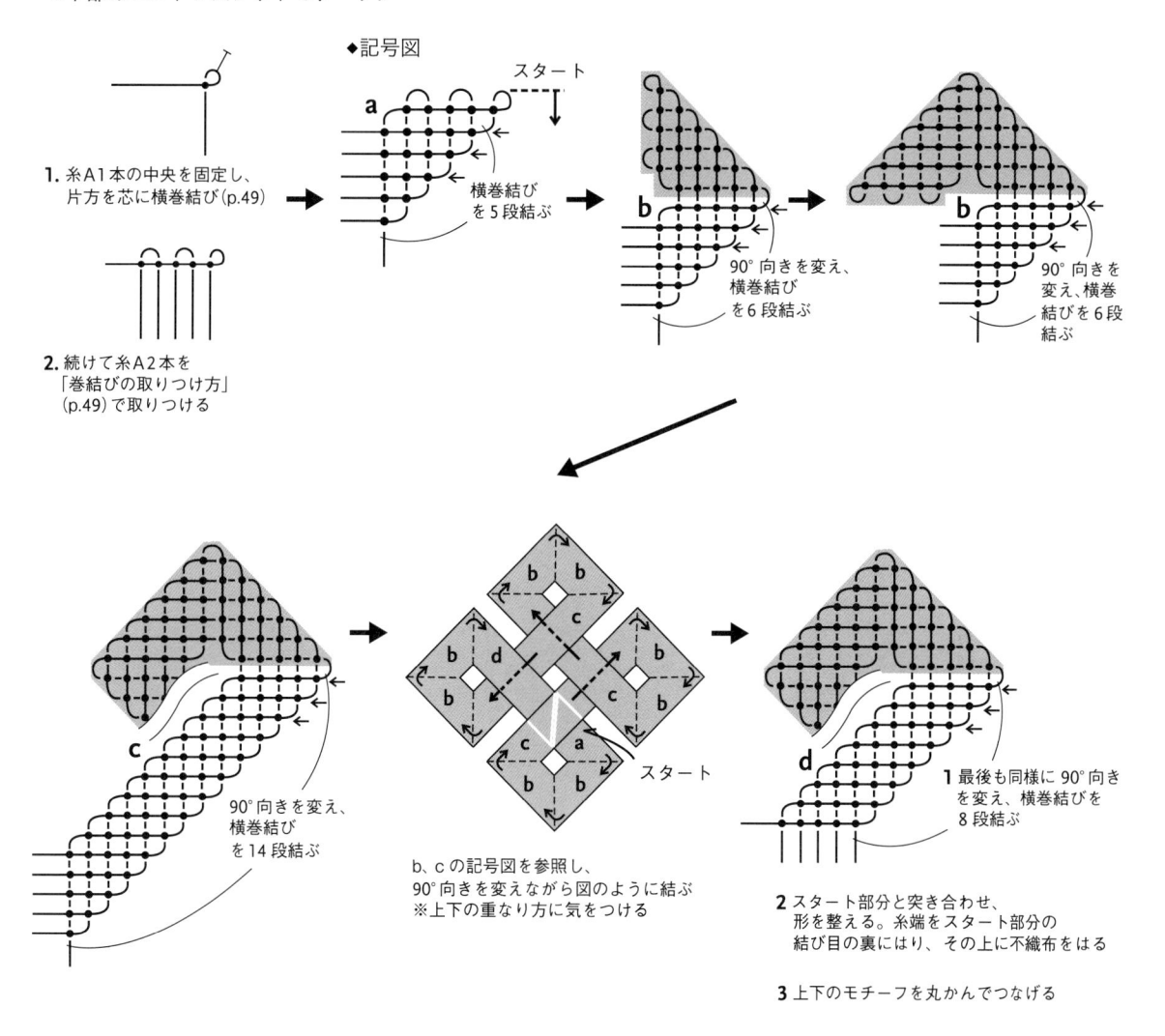

◆記号図

1. 糸A1本の中央を固定し、片方を芯に横巻結び(p.49)

2. 続けて糸A2本を「巻結びの取りつけ方」(p.49)で取りつける

スタート

a 横巻結びを5段結ぶ

b 90°向きを変え、横巻結びを6段結ぶ

b 90°向きを変え、横巻結びを6段結ぶ

c 90°向きを変え、横巻結びを14段結ぶ

スタート

b、cの記号図を参照し、90°向きを変えながら図のように結ぶ
※上下の重なり方に気をつける

d

1 最後も同様に 90°向きを変え、横巻結びを8段結ぶ

2 スタート部分と突き合わせ、形を整える。糸端をスタート部分の結び目の裏にはり、その上に不織布をはる

3 上下のモチーフを丸かんでつなげる

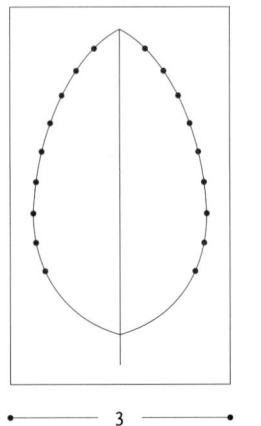

Leaf Motif Brooch ~P.27

ループを作りながら平結びでリーフモチーフを作り、
布にとめつけたブローチ。
モチーフは型紙を使って作ります。

＊p.27の上から3段め左のブローチの作り方と、
型紙を使った作り方はp.44を参照。
＊でき上りサイズは型紙参照

A

○材料
DARUMA 鴨川＃18（生成り・101）
　1m60cmを2本
木綿布（黒）　6×6cm
合皮スエード（グレー）　4×4cm
キルト綿　4×4cm
厚紙4×4cm
ブローチピン（ゴールド）
　2.5cm幅1個
手縫い糸（生成り）　少々

◆型紙（実物大）

4 × 4

◆記号図

スタート
1 糸を中央で二つ折りにして
ピンでとめて結び始める

2 型紙に合わせて
ループを
作りながら
平結び(p.47)を
2回結ぶ。
最後は3回
平結びする

3 糸端を裏側に折り曲げてはり、
カットする

4 モチーフを布にとめつけ、
厚紙などで土台を作る(p.84)。
ブローチピンをはる

B

○材料
DARUMA 鴨川＃18（生成り・101）
　1m60cmを2本
木綿布（黒）　7×5cm
合皮スエード（グレー）　5×3cm
キルト綿　5×3cm
厚紙5×3cm
ブローチピン（ゴールド）　2.5cm幅1個
手縫い糸（生成り）　少々

◆型紙（実物大）

5 × 3

◆記号図

スタート
1 糸を中央で二つ折りにして
ピンでとめて結び始める

2 型紙に合わせて
ループを
作りながら
平結び(p.47)を
2回結ぶ。
最後は3回
平結びする

3 糸端を裏側に折り曲げてはり、
カットする

4 モチーフを布にとめつけ、
厚紙などで土台を作る(p.84)。
ブローチピンをはる

C

◉ 材料
DARUMA 鴨川 #18 (黒・109)
　1m60cmを2本
木綿布(生成り)　6×6cm
合皮スエード(グレー)　4×4cm
キルト綿　4×4cm
厚紙　4×4cm
ブローチピン(ゴールド)
　2.5cm幅1個
手縫い糸(黒)　少々

◆ 型紙(実物大)

◆ 記号図

スタート

1 糸を中央で二つ折りにしてピンでとめて結び始める

2 型紙に合わせてループを作りながら平結び(p.47)を2回結ぶ。最後は3回平結びする

3 糸端を裏側に折り曲げてはり、カットする

4 モチーフを布にとめつけ、厚紙などで土台を作る(p.84)。ブローチピンをはる

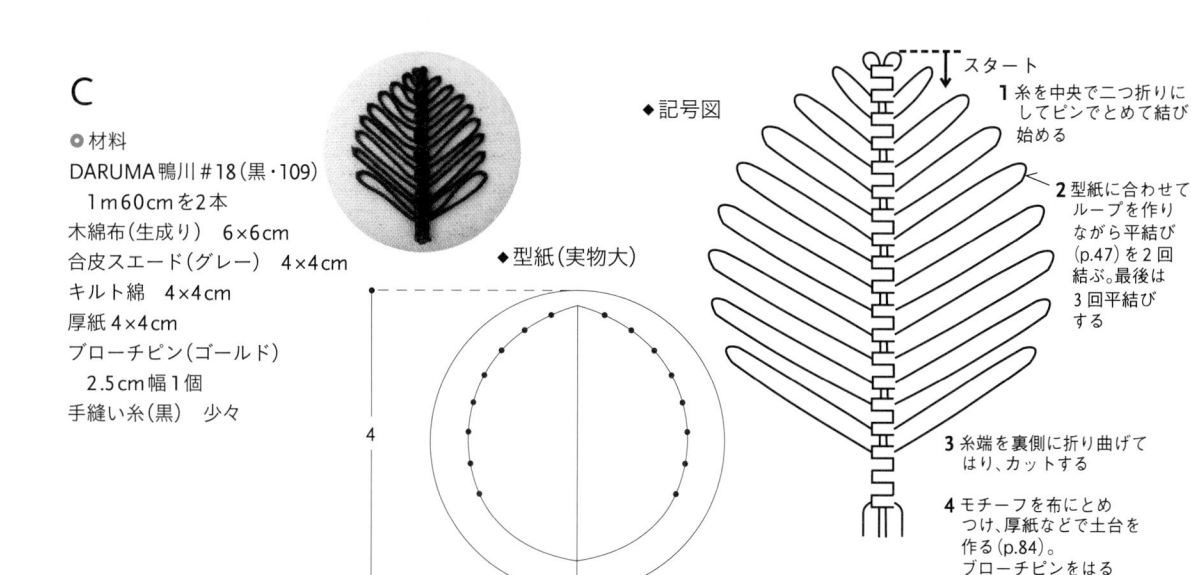

スタート

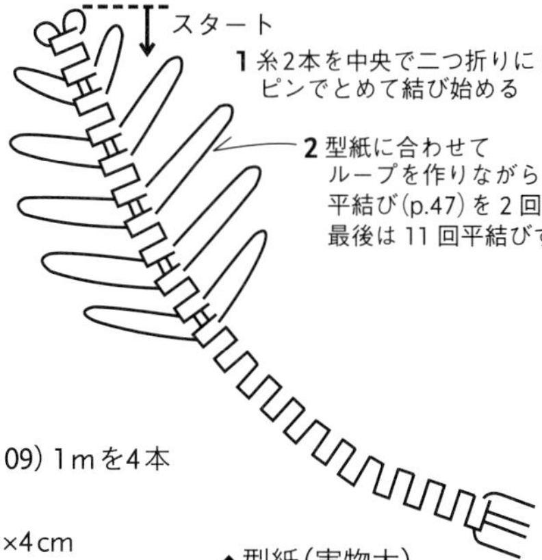

1 糸2本を中央で二つ折りにしてピンでとめて結び始める

2 型紙に合わせてループを作りながら平結び(p.47)を2回結ぶ。最後は11回平結びする

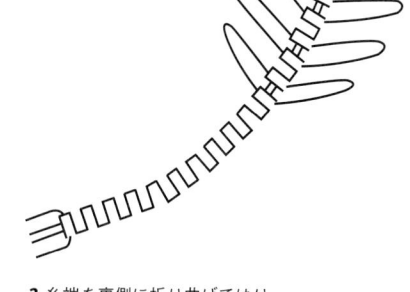

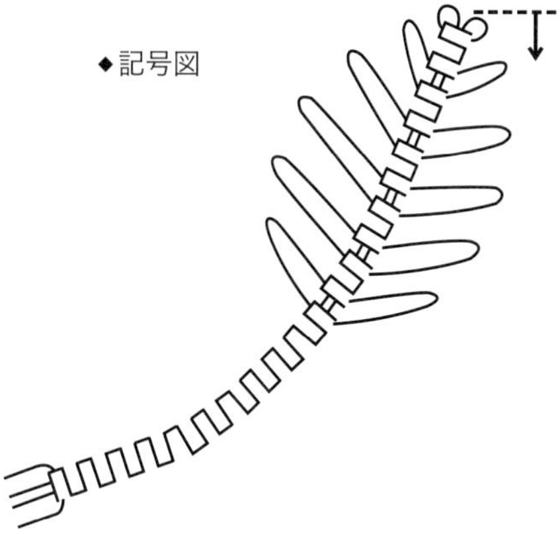

◆ 記号図

D

◉ 材料
DARUMA 鴨川 #18 (黒・109) 1mを4本
木綿布(生成り)　6×6cm
合皮スエード(グレー)　4×4cm
キルト綿　4×4cm
厚紙　4×4cm
ブローチピン(ゴールド)
　2.5cm幅1個
手縫い糸(黒)　少々

◆ 型紙(実物大)

3 糸端を裏側に折り曲げてはり、カットする。

4 左右のモチーフを布にとめつけ、厚紙などで土台を作る(p.84)。ブローチピンをはる

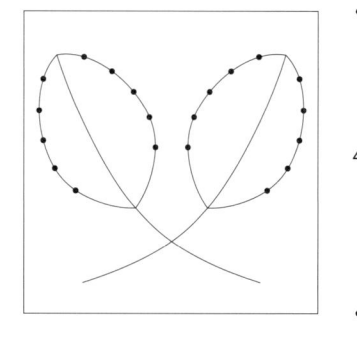

ブローチの土台の仕立て方

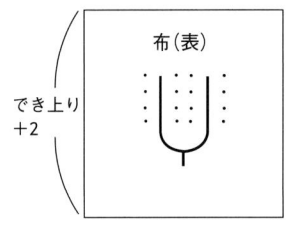

1. 布の中央に型紙の印をつける
※結びの中央の線とループの点のみ

2. 印をつけた上にモチーフを置き、結び部分は手芸用ボンドではり、ループ部分は糸でとめる

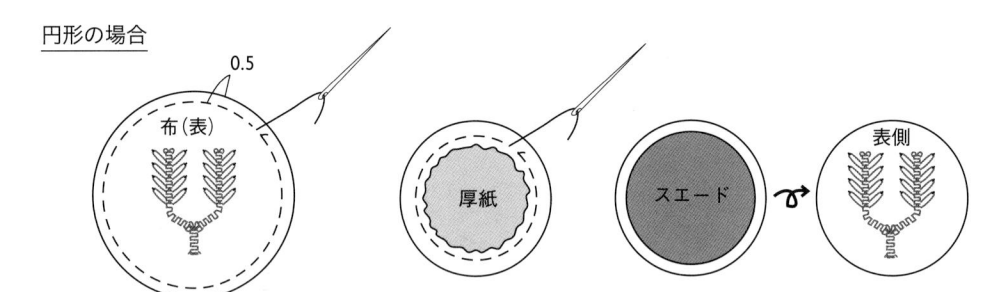

円形の場合

3. でき上りより2cm大きい円にカットし、外側から0.5cmのところをぐし縫いする

4. キルト綿と厚紙をでき上りにカットする。布の裏側中央に重ねて置き、ぐし縫いを縮めてとめる

5. スエードをでき上りよりひと回り小さくカットして、手芸用ボンドではる

四角形の場合

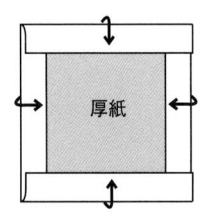

3. キルト綿と厚紙をでき上りにカットする。布の裏側中央に重ねて置き、四方を折り曲げる

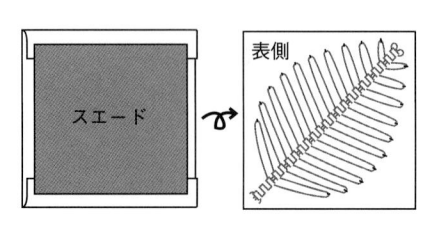

4. スエードをでき上りよりひと回り小さくカットして、手芸用ボンドではる

Square Brooch ▶P.28

四方の角をしゃこ結び、
中央を平結びの七宝結びで作る、
ダイヤのような形のモチーフのブローチ。

◎ でき上がりサイズ 約5.4×5.4cm

◎ 材料
DARUMA鴨川#18（ベージュ・102） 1mを16本
フェルト（ベージュ） 7×7cm
合皮スエード（グレー） 7×7cm
ブローチピン（ゴールド） 2.5cm幅1個

◆ 記号図

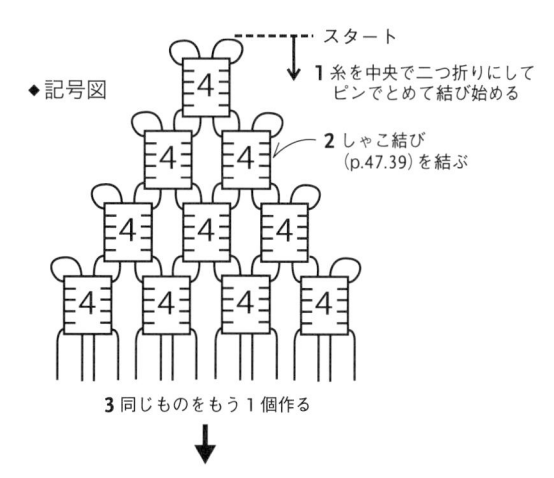

スタート

1 糸を中央で二つ折りにして
ピンでとめて結び始める

2 しゃこ結び
（p.47.39）を結ぶ

3 同じものをもう1個作る

1 2つのモチーフを図のように置き（45°向きを変える）、
中央に平結びの七宝結び（p.47.48）を15段結ぶ

2 糸を左右に16本ずつ分け、
しゃこ結びを結ぶ
※向きを45°変えて、真っすぐ結ぶ

3 糸端を始末し、フェルトとスエード、
ブローチピンをはる（p.42）

85

Donuts Brooch ▶P.28

ころんと丸い木の実のモチーフをならべた
ドーナツ形のブローチ。
木の実のモチーフは巻結びで作ります。

◉ でき上りサイズ　直径約5cm

◉ 材料
DARUMA鴨川＃18（ベージュ・102）
糸A：2m50cmを4本、糸B：1m20cmを1本
フェルト（ベージュ）　7×7cm
合皮スエード（グレー）　7×7cm
ブローチピン（ゴールド）　2.5cm幅1個

◆型紙（実物大）

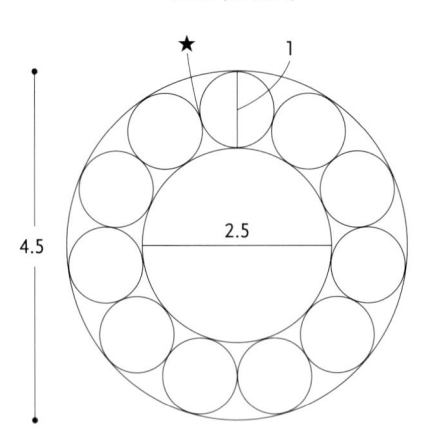

★　1

4.5

2.5

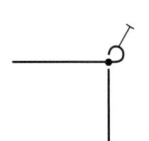

1. 糸B1本の中央を固定し、片方を芯にして横巻結び（p.49）

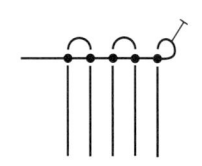

2. 続けて糸A2本を「巻結びの取りつけ方」（p.49）で取りつける

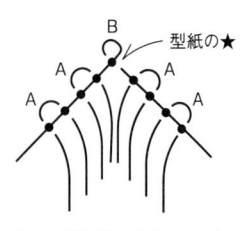

3. 糸Bの反対側にも糸A2本を2.と同様に取りつける

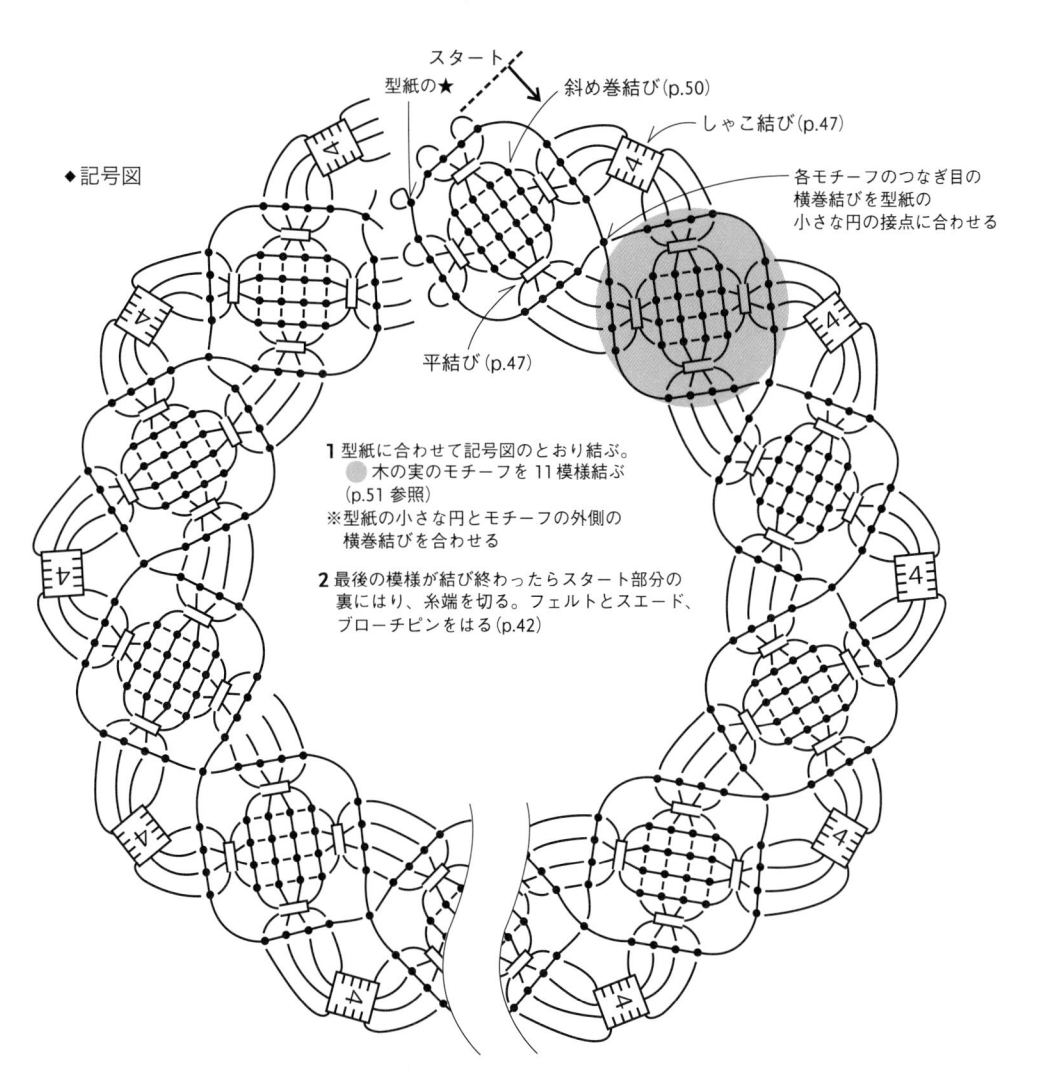

◆記号図

スタート
型紙の★
斜め巻結び（p.50）
しゃこ結び（p.47）
各モチーフのつなぎ目の横巻結びを型紙の小さな円の接点に合わせる
平結び（p.47）

1 型紙に合わせて記号図のとおり結ぶ。
　　木の実のモチーフを11模様結ぶ（p.51参照）
　※型紙の小さな円とモチーフの外側の横巻結びを合わせる

2 最後の模様が結び終わったらスタート部分の裏にはり、糸端を切る。フェルトとスエード、ブローチピンをはる（p.42）

Cross Brooch ▶P.28

クロスモチーフは端をしゃこ結び、
中央は平結びをしながら、
織るように組み合わせて作っています。

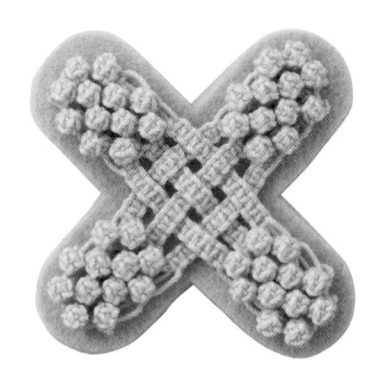

○ でき上がりサイズ　約6.2×6.2cm

○ 材料
DARUMA 鴨川 #18（ベージュ・102）
　1m20cmを12本
フェルト（ベージュ）　7×7cm
合皮スエード（グレー）　7×7cm
ブローチピン（ゴールド）　2.5cm幅1個

◆ 記号図

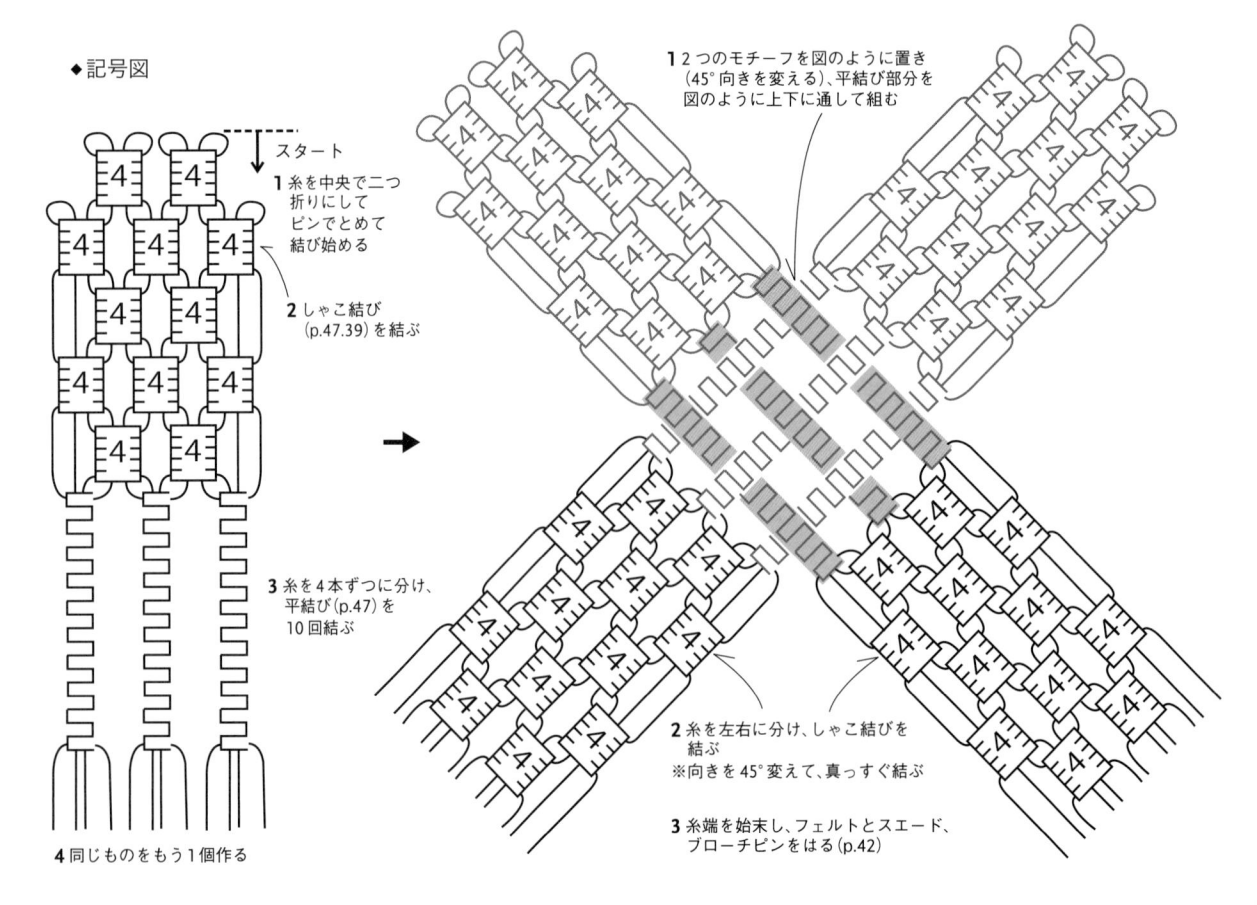

スタート

1 糸を中央で二つ
折りにして
ピンでとめて
結び始める

2 しゃこ結び
(p.47.39)を結ぶ

3 糸を4本ずつに分け、
平結び(p.47)を
10回結ぶ

4 同じものをもう1個作る

1 2つのモチーフを図のように置き
（45°向きを変える）、平結び部分を
図のように上下に通して組む

2 糸を左右に分け、しゃこ結びを
結ぶ
※向きを45°変えて、真っすぐ結ぶ

3 糸端を始末し、フェルトとスエード、
ブローチピンをはる(p.42)

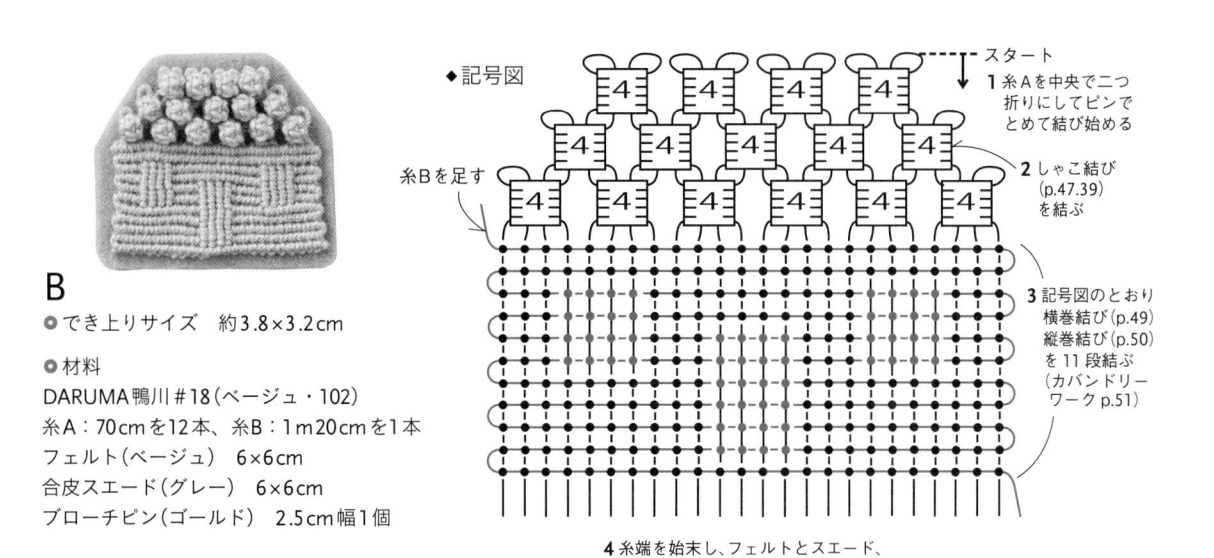

House Motif Brooch ▶P.29

ハウスモチーフは屋根部分はしゃこ結び、
壁は巻結びをしています。
横巻結び、縦巻結びのバランスで、
ドアや窓も表現できます。

◆記号図

スタート
1 糸Aを中央で二つ折りにしてピンでとめて結び始める

2 しゃこ結びの(p.47.39)を結ぶ

糸Bを足す

3 記号図のとおり横巻結び(p.49)縦巻結び(p.50)を10段結ぶ(カバンドリーワークp.51)

4 糸端を始末し、フェルトとスエード、ブローチピンをはる(p.42)

A

○ でき上りサイズ　約5×3.5cm

○ 材料
DARUMA鴨川#18(ベージュ・102)
糸A：70cmを16本、糸B：1m20cmを1本
フェルト(ベージュ)　6×7cm
合皮スエード(グレー)　6×7cm
ブローチピン(ゴールド)　2.5cm幅1個

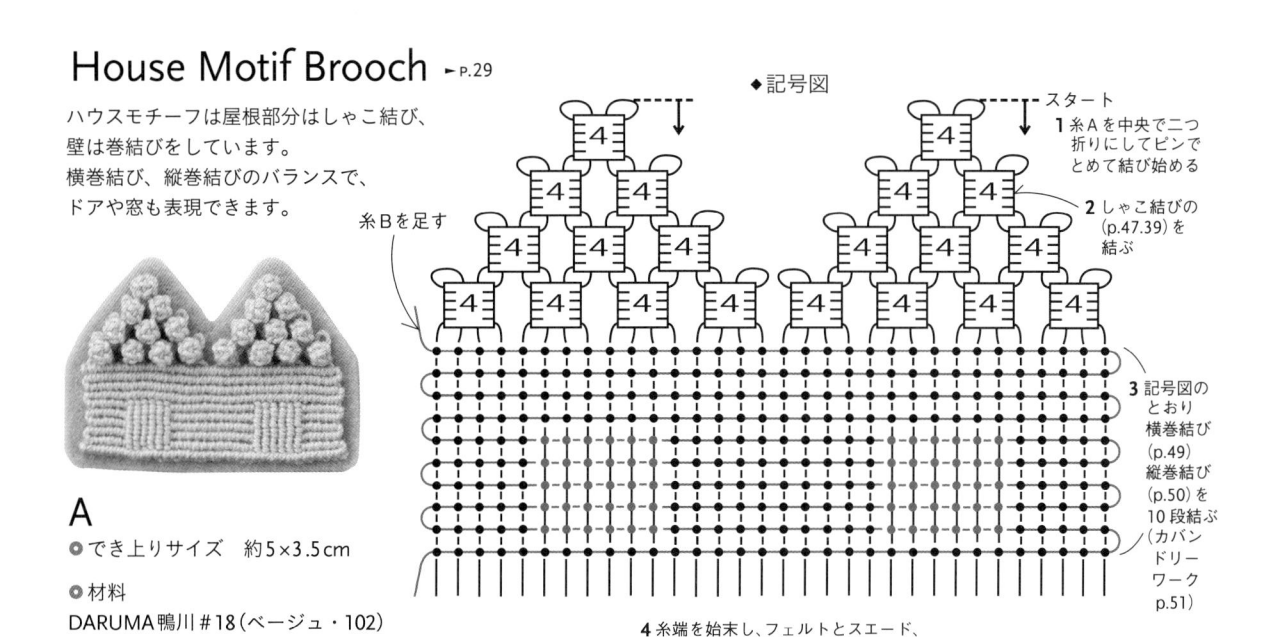

B

◆記号図

スタート
1 糸Aを中央で二つ折りにしてピンでとめて結び始める

2 しゃこ結び(p.47.39)を結ぶ

糸Bを足す

3 記号図のとおり横巻結び(p.49)縦巻結び(p.50)を11段結ぶ(カバンドリーワークp.51)

4 糸端を始末し、フェルトとスエード、ブローチピンをはる(p.42)

○ でき上りサイズ　約3.8×3.2cm

○ 材料
DARUMA鴨川#18(ベージュ・102)
糸A：70cmを12本、糸B：1m20cmを1本
フェルト(ベージュ)　6×6cm
合皮スエード(グレー)　6×6cm
ブローチピン(ゴールド)　2.5cm幅1個

＊もう1種類のブローチはp.39参照。

Flower Motif Brooch, Pierce, Necklace ▶P.31

内側の花心をしゃこ結び、
外側の花びらを巻結びで作ったフラワーモチーフのブローチ。
外側と内側を別々に作り、最後に重ねてはって仕上げています。

A
生成り×ベージュ

◉でき上りサイズ　直径約3.6cm

◉材料
DARUMA鴨川#18（生成り・101）
糸A：80cmを10本、（ベージュ・102）　糸B：1mを4本
フェルト（ベージュ）　6×6cm
合皮スエード（グレー）　6×6cm
ブローチピン（ゴールド）　2.5cm幅1個

B
生成り×黒

◉でき上りサイズ　直径約3.6cm

◉材料
DARUMA鴨川#18（ベージュ・102）
糸A：80cmを10本、（黒・109）　糸B：1mを4本
フェルト（ベージュ）　6×6cm
合皮スエード（グレー）　6×6cm
ブローチピン（ゴールド）　2.5cm幅1個

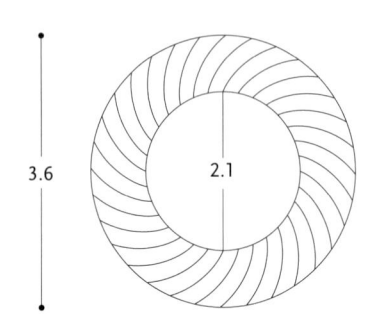

◆型紙（実物大）

3.6 / 2.1

内側のモチーフを作る

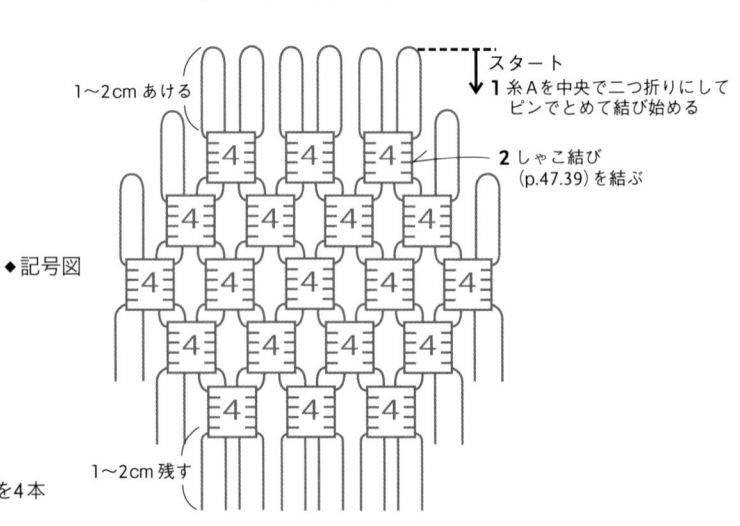

◆記号図

スタート
1 糸Aを中央で二つ折りにしてピンでとめて結び始める
2 しゃこ結び（p.47,39）を結ぶ

1～2cm あける
1～2cm 残す

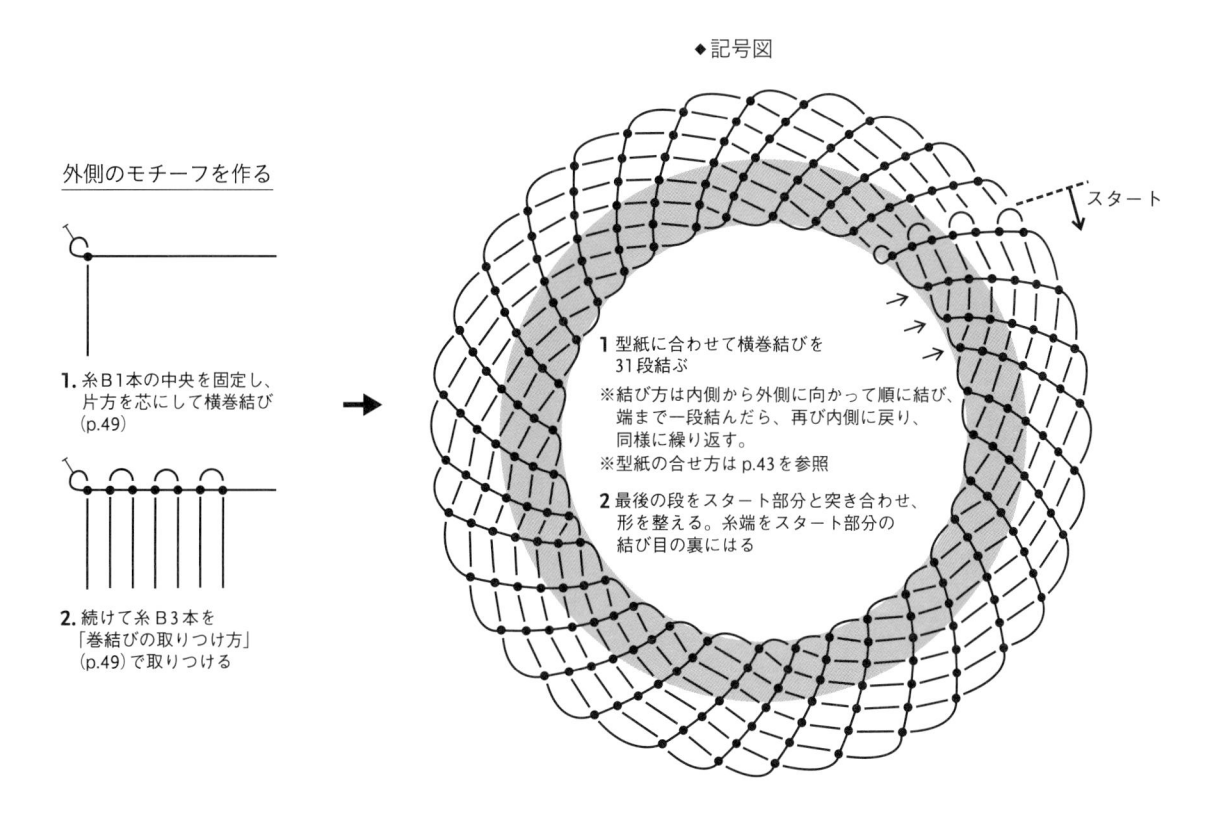

◆記号図

外側のモチーフを作る

1. 糸B1本の中央を固定し、片方を芯にして横巻結び(p.49)

2. 続けて糸B3本を「巻結びの取りつけ方」(p.49)で取りつける

スタート

1 型紙に合わせて横巻結びを31段結ぶ

※結び方は内側から外側に向かって順に結び、端まで一段結んだら、再び内側に戻り、同様に繰り返す。
※型紙の合せ方は p.43を参照

2 最後の段をスタート部分と突き合わせ、形を整える。糸端をスタート部分の結び目の裏にはる

外側、内側のモチーフを重ねる

1 外側モチーフの ▧ 部分の裏側に手芸用ボンドをつけ、内側モチーフを囲むように置いて内側モチーフの糸端をはる。余分な糸端は始末する

2 フェルトとスエード、ブローチピンをはる(p.42)
※フェルトとスエードは表に見えないようにひと回り小さくカットする

Necklace ▶ P.31

p.90のブローチのモチーフ(糸の色は材料の項参照)を3個並べてフェルトの土台にとめつけて、チェーンをつけたネックレス。
2個は外側の花びらを2色にしています。

◎でき上がりサイズ
約9.5×3.5cm(モチーフ部分)

◎材料(ネックレス1個分)
中央の花・DARUMA鴨川#18(生成り・101)
糸A：80cmを10本、
(ベージュ・102)糸B：1mを4本
左右の花(2個分)・DARUMA鴨川#18(生成り・101)
糸A：80cmを20本、糸B：1mを4本
(ベージュ・102)糸C：1mを4本
フェルト　10×10cm
エアリーチェーン　35cm
カニかん、アジャスター　各1個
丸かん　2個

内側のモチーフを3個作る

◆記号図

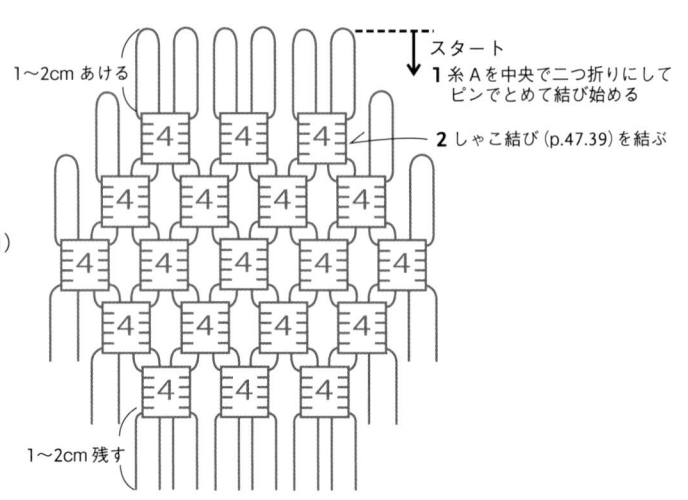

1～2cmあける

スタート
1 糸Aを中央で二つ折りにしてピンでとめて結び始める

2 しゃこ結び(p.47,39)を結ぶ

1～2cm残す

◆ブローチの土台の型紙(実物大)

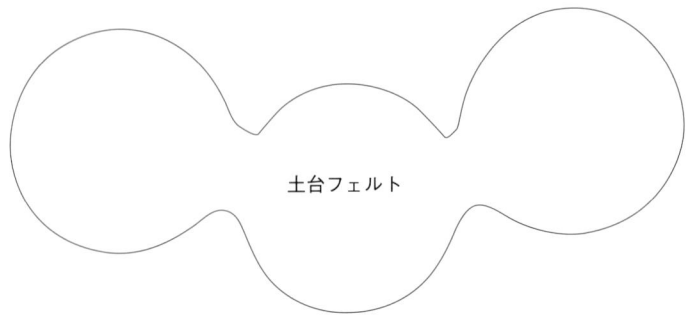

土台フェルト

◆記号図

外側のモチーフを3個作る

※中央の花は糸B4本で作る

1. 糸B1本の中央を固定し、片方を芯にして横巻結び(p.49)

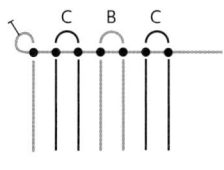

2. 続けて糸B1本、C2本を「巻結びの取りつけ方」(p.49)で取りつける

スタート

1 型紙に(p.90と同様)合わせて横巻結びを31段結ぶ
※結ぶ方向もp.91と同様
※型紙の合せ方はp.43を参照

2 最後の段をスタート部分と突き合わせ、形を整える。糸端をスタート部分の結び目の裏にはる

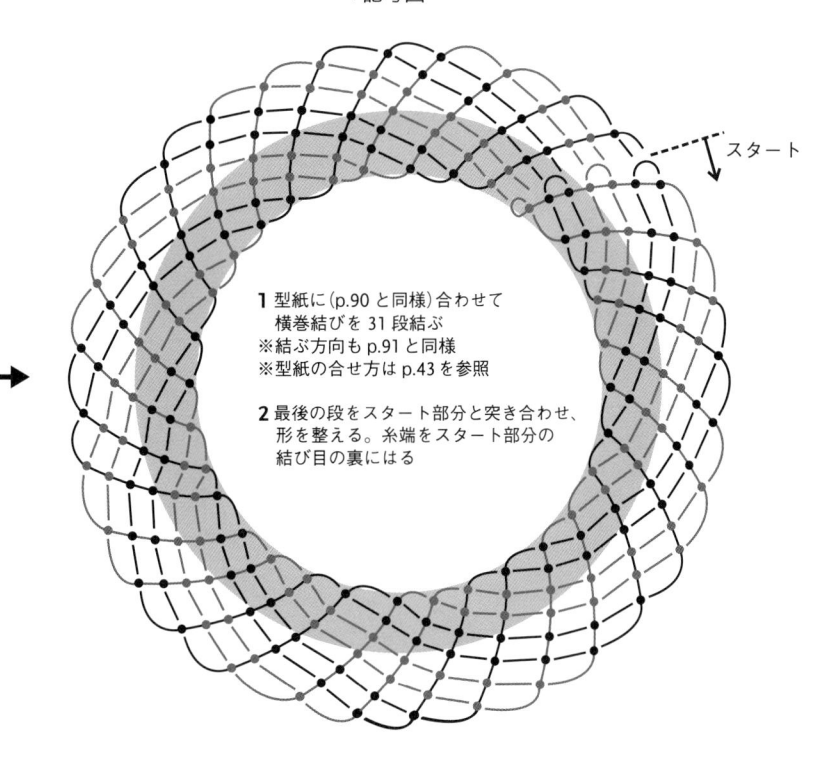

外側、内側のモチーフを重ねる

1. 外側モチーフの ▨ 部分の裏側に手芸用ボンドをつけ、内側モチーフを囲むように置いて内側モチーフの糸端をはる。余分な糸端は始末する

2. フェルトをはる(p.42)
※フェルトは表に見えないようにひと回り小さくカットする

ネックレスに仕上げる

1. フェルトを型紙に合わせてカットする。モチーフ3個をフェルトにはり、裏側にチェーンを縫いつける

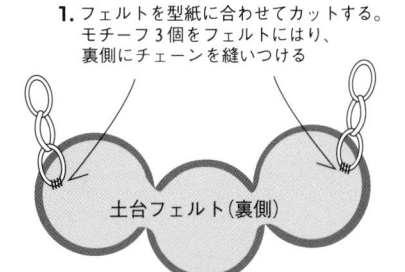

土台フェルト(裏側)

2. チェーンに丸かんでアジャスターとカニかんをつける

Pierce ►P.31

p.90のブローチのモチーフを小形にして
ピアスに仕上げています。

○ でき上がりサイズ　直径約2.3cm

A 生成り×生成り

○ 材料（1組み分）
DARUMA鴨川#18（生成り・101）
糸A：60cmを12本、糸B：80cmを6本
フェルト（ベージュ）　3×3cm
合皮スエード（グレー）　3×3cm
ピアス金具（ゴールド）　1組み

B 生成り×黒

○ 材料（1組み分）
DARUMA鴨川#18（生成り・101）
糸A：60cmを12本、
（黒・109）糸B：80cmを6本
フェルト（ベージュ）　3×3cm
合皮スエード（グレー）　3×3cm
ピアス金具（ゴールド）　1組み

◆型紙（実物大）

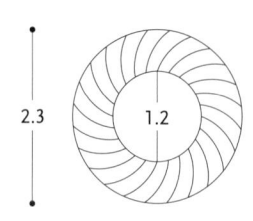

2.3 / 1.2

外側のモチーフを作る

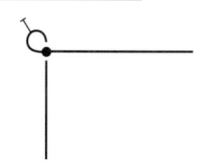

1. 糸B1本の中央を固定し、
片方を芯にして横巻結び(p.49)

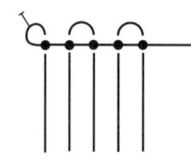

2. 続けて糸B2本を
「巻結びの取り付け方」
(p.49)で取りつける

内側のモチーフを作る

◆記号図

スタート

1 糸Aを中央で
二つ折りにし
てピンでとめ
て結び始める

2 しゃこ結び
(p.47.39)を
結ぶ

1〜2cmあける
1〜2cm残す

◆記号図

スタート

1 型紙に合わせて横巻結び(p.49)を
23段結ぶ

2 最後の段をスタート部分と突き合わせ、
形を整える。糸端をスタート部分の
結び目の裏にはる

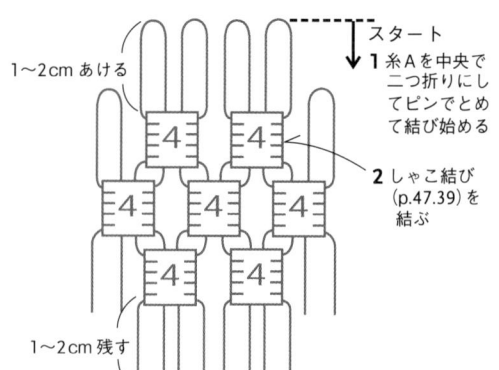

外側、内側のモチーフを重ねる

1. 外側モチーフの　　部分の裏側に
手芸用ボンドをつけ、内側モチーフ
を囲むように置いて内側モチーフの
糸端をはる。余分な糸端は始末する

2. フェルトとスエードをはる。
スエード裏側からピアス金具を
刺して固定し、フェルトにはる
※フェルトとスエードは表に見えな
いようにひと回り小さくカットする

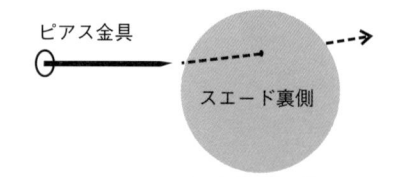

ピアス金具　スエード裏側

※円の上側に差し込む

94

Chain Necklace, Bracelet ▶P.32

はりのあるステンレスコードを木の棒に巻きつけてチェーン状に仕上げたネックレスとブレスレット。
ベースのチェーンに2重、3重と巻きつけていきます。

2重ネックレス

◉でき上りサイズ
幅約0.7cm、長さ約52cm

◉材料
ステンレスコード0.8mmタイプ
（Newシルバー・716）2m50cmを2本
引き輪、ダルマかん（シルバー）　各1個
丸かん（シルバー）　直径0.5cmを2個

＊結び方はp.45を参照

4重ネックレス

◉でき上りサイズ
幅約0.8cm、長さ約40cm

◉材料
ステンレスコード0.8mmタイプ
（Newゴールド・715）2mを4本
引き輪、ダルマかん（アンティークゴールド）
　各1個
丸かん（アンティークゴールド）
　直径0.5cmを2個

ブレスレット

◉でき上りサイズ
幅約3.5cm、長さ約16cm

◉材料
ステンレスコード0.8mmタイプ
（Newゴールド・715）3m50cmを1本
マンテル（アンティークゴールド）　1組み
丸かん（アンティークゴールド）
　直径0.5cmを2個

＊横並びのチェーンの作り方はp.46を参照

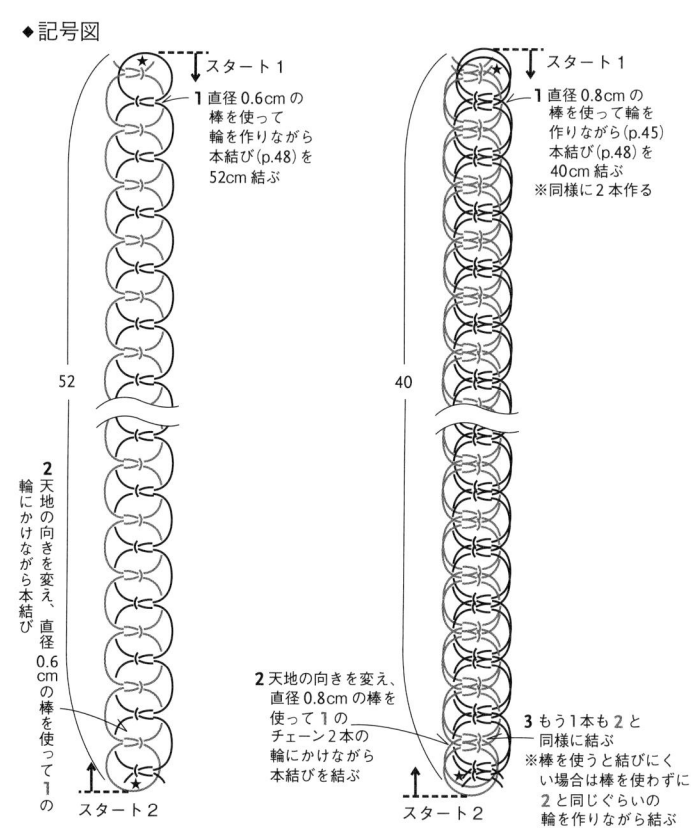

◆記号図

2重ネックレス

スタート1
1 直径0.6cmの棒を使って輪を作りながら本結び(p.48)を52cm結ぶ

52

2 天地の向きを変え、輪にかけながら本結び、直径0.6cmの棒を使って1の

スタート2

3 ★に丸かんをつけダルマかんと引き輪をつける

4重ネックレス

スタート1
1 直径0.8cmの棒を使って輪を作りながら(p.45)本結び(p.48)を40cm結ぶ
※同様に2本作る

40

2 天地の向きを変え、直径0.8cmの棒を使って1のチェーン2本の輪にかけながら本結びを結ぶ

スタート2

3 もう1本も2と同様に結ぶ
※棒を使うと結びにくい場合は棒を使わず2と同じぐらいの輪を作りながら結ぶ

4 ★に丸かんをつけダルマかんと引き輪をつける

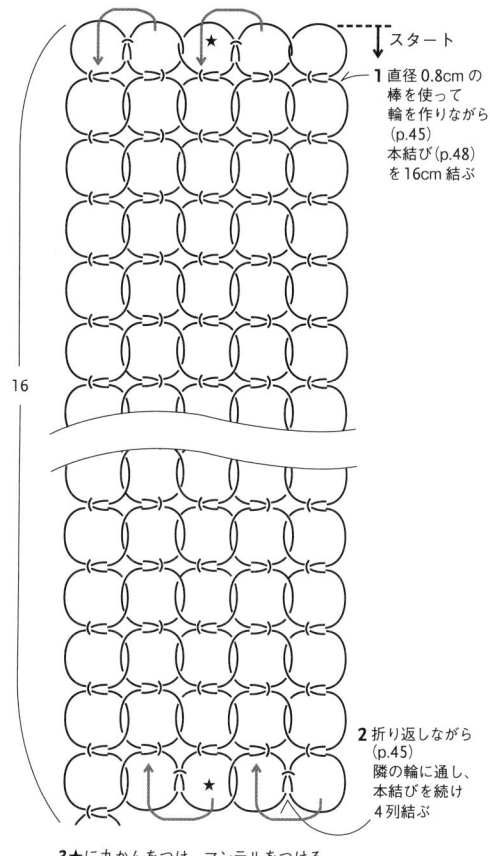

ブレスレット

スタート
1 直径0.8cmの棒を使って輪を作りながら(p.45)本結び(p.48)を16cm結ぶ

16

2 折り返しながら(p.45)隣の輪に通し、本結びを続け4列結ぶ

3 ★に丸かんをつけ、マンテルをつける

95

ブックデザイン　縄田智子　佐藤尚美　L'espace
撮影　三木麻奈
スタイリング　串尾広枝
ヘア＆メイク　草場妙子
モデル　Kurumi Emond
作り方協力　田中利佳
トレース　田中利佳　薄井年夫
プロセス撮影　安田如水（文化出版局）
校閲　堀口恵美子
編集　小山内真紀
　　　大沢洋子（文化出版局）

〈材料提供〉
○横田
（ダルマ鴨川糸）
〒541-0058　大阪市中央区南久宝寺町2-5-14
TEL 06-6251-2183　http://www.daruma-ito.co.jp/
作品製作は「ダルマ鴨川糸18番」を使用しましたが、現在、入手可能な糸はリニューアルした「DARUMA鴨川＃18」となります。生成り、黒の色味が多少変更になりましたことをご了承くださいませ。

○メルヘンアート
（たこ糸、ステンレスコード、プロセス撮影用のロマンスコード、コルクボード、マクラメ用ピン）
〒130-0015　東京都墨田区横網2-10-9
TEL 03-3623-3760　https://www.marchen-art.co.jp

〈撮影協力〉
○nooy
（モデル着用衣装すべて）
〒103-0012　東京都中央区日本橋堀留町1-2-9-3F
TEL 03-6231-0933　https://www.nooy.jp/

○paille d'or（パイユドール）
（帽子）
〒150-0001　東京都渋谷区神宮前6-6-5和光ビル1F
TEL 03-3498-8005　https://www.baraironoboushi.com/

マクラメレースのアクセサリー

2016年3月5日　第1刷発行
2023年6月6日　第4刷発行
著　者　松田紗和
発行者　清木孝悦
発行所　学校法人文化学園 文化出版局
　　　　〒151-8524　東京都渋谷区代々木3-22-1
　　　　電話　03-3299-2489（編集）
　　　　　　　03-3299-2540（営業）
印刷・製本所　株式会社文化カラー印刷

©Yoshimi Matsuda 2016　Printed in Japan
本書の写真、カット及び内容の無断転載を禁じます。

・本書のコピー、スキャン、デジタル化等の無断複製は著作権法上での例外を除き、禁じられています。本書を代行業者等の第三者に依頼してスキャンやデジタル化することは、たとえ個人や家庭内での利用でも著作権法違反になります。
・本書で紹介した作品の全部または一部を商品化、複製頒布、及びコンクールなどの応募作品として出品することは禁じられています。
・撮影状況や印刷により、作品の色は実物と多少異なる場合があります。ご了承ください。

文化出版局のホームページ　https://books.bunka.ac.jp/